インストール

綿矢りさ

kawade bunko

河出書房新社

目次

インストール

インストール

自称変わり者の寝言。

「私、毎日みんなと同じ、こんな生活続けてていいのかなあ。みんなと同じ教室で同じ授業受けて、毎日。だってあたしには具体的な夢はないけど野望はあるわけ。きっと有名になるんだ。テレビに出たいわけじゃないけど。」

光一にそう言い終わった後私は、これは甘ったるいなあ、とぼんやり興《きょう》ざめした。光一はそんな私を世の大人の代表として散々なじってくれた。「バカだねみんなと同じ生活が嫌なんて一体自分をどれだけ特別だと思ってるんだ努力もせず時間だけそんな惜しんで、大体あんたにゃ人生の目標がない、だからそううだうだと他の何百人もの人間が乗り越えてきた基本的でありきたりな悩みをひきずってんのさ。」

眉《まゆ》をひそめ八重歯を唾液《だえき》で光らせた光一は喋《しやべ》る喋る、痛烈な批判を私に向かってまだまだまくしたてた。このカツを最近有難く感じる、五臓六腑《ごぞうろつぷ》に沁《し》みる、目をぎゅっとつぶって「もっと言って」とお願いしたら、光一はひるんで口をつぐんだ。その瞬間隣の席で全然別の話題で盛り上がっているクラスメイトの女の子達が、地面を揺るがすくらいの大爆笑をぶちまけた。光一はそれに負けじとすぐまた声を張り上げてお喋りを始める。「そんな無駄なこと考えちゃうのはね、あんたが疲れてるせいだよ。朝子この頃忙しそうにしてたじゃん、予備校のかけもちのせいで。あれもうやめなさい、勉強は一人でもできるんだから。あと、忙しい自分が嬉《うれ》しい、好きって思えるようになればさらに楽になれるかもしれないね。口では、私この頃ハードスケジュールなの～なんて言ってため息つくけど実はそんな充実した日々を送っている自分に満足してる、そういう愚《おろ》か者《もの》に自分を人格改造したら疲れてんのが快感になってきっと朝子のそのくだらん野望も消し飛ぶって。なんで言い切れるかっていうとその生き方を実践してるうちのナッコが幸せだからだよ。あいつハードスケジュールが自分の有能さと人気の証《あかし》だって勘違《かんちが》いしてて、それが唯一の娯楽さ。利用されてるだけなのに、それに気づかないでつまらない粒々《つぶつぶ》の仕事全部押し付けられて緊張して、それで本格的に疲れがたまってきたらスポ根みたいに、私負けないっ、て涙溜《た》めだすんだから、本当いつも自分が主人公で真性《しんせい》マゾ、」

光一はどんな話題で話をしていても、気がつけばナッコの悪口話にすり替えている。いつもなら聞いてやるのだけれど睡眠不足極まれる今は我慢ならなくて、私は頭を机に鈍《にぶ》くぶつけて、その音で光一を黙らせた。光一はまたひるんだ。私はうつろな目のまま辺《あた》りを見回した。昼ご飯の時間が済んですぐの教室は、誰かのお弁当の具だった酢豚の匂いと春の暖かい陽気がこもっていてまるで人間の胃の中のようである。クラスメイトの女の子達はおしゃべりおしゃべり、ヒステリックさを感じるほどの元気な笑い声は教室中の窓ガラスをしびれさせている。平和? 違う、みんな騙《だま》しあいっこをしている。受験勉強シテル? マッサカー私昨日九時ニ寝チャッタ、本当ダヨウダカラコンナニ元気ナノ。じゃあその目の下の隈《くま》は何だと聞きたい。まあ私がこんなつっこみいれなくても、みんな相手の嘘八百《うそはっぴゃく》はちゃんと見抜いている。じゃあ何故《なぜ》皆、競いあうように頑張《がんば》ってない自分、をアピールするのか。やはり自分を天才だと思わせたいし思いこみたいからだ、そしてその反面すごい平和主義で、ああ可愛い、でも汚い、朦朧《もうろう》としていたら光一はやさしい口調になって言った。

「まあもし疲れてるんなら、一回学校休んで休養とったら? あんた今まで無遅刻無欠席だから知らないと思うけど、人が働いている時に休むと、皆が休んでいる時に一緒に休むのより二倍充実した一日が送れるよ。なんとなく焦《あせ》るから自由時間の密度が濃くなるんだ。」

「休みたいけど、一回休んだら、次の日も、また次の日も学校行けなくなる気がする。」

「いいじゃない休みたいだけ休んだら。さては、あんたあの母親にビビッてるんだね。大丈夫、おれがナツコに言ってあんたが欠席中なのをあの恐い母さんの耳に入れさせないようにしてあげる。」

光一は、英文系の私のクラスでただ一人の男子生徒なのだが、ずばり彼の彼女のナツコ先生はうちのクラス担任の女教師である。

「大丈夫だって、ナツコは教師である前にマゾだから、おれがこんなお願いしたらとびつくよ。恋人の哀願《あいがん》か教師としてのモラルか、どちらを選ぶ!?　っていう板ばさみの快感をあいつが逃がすとは思えないね。というわけだから、朝子、安心して休みなさい。そしてそのありがちな悩みに自分なりの答えを見つけ出せるよう励《はげ》みなさいね。」

光一は強引にそう言って笑顔を見せた。平和主義、この子だって。男子でも同じである、ライバルに勉強させないようにしようと、必死だ。私はそんな光一が可愛いと思う。まあこのように話が流れるように進んで、疲れている私は受験戦争から脱落することとなった。

そして私は学校早退、早速登校拒否児となり、ただ家でこんこんと眠り続けた。家についた後すぐ寝て、嫌な夢を見た後、夕方に起きた。目覚める前に軽い金縛《かなしば》りに遭《あ》い、それと長く戦っていたせいでだるい頭痛がした。二日酔いの気分で起き上がり汗ばんだ髪の間から前を覗《のぞ》くとちょうど夕暮れで、ぎらぎら煮えたぎって揺《ゆ》れ落《お》ちる地獄の落陽《らくよう》が、部屋を有害な蜜色《みついろ》に染め上げていた。またその照らされた部屋の汚さがホラーで、参考書の山や湿《しめ》った汗臭い服、緑の網《あみ》タイツに二日前のお好み焼、プラス何故買ったのかイギリスの国旗、の転がった奇怪な阿片窟《あへんくつ》、私はゴミに囲まれたまま呆然《ぼうぜん》とした。眠りで回復したせっかくのＨＰ《体力値》をこの部屋の光景に根こそぎ吸い取られて動けなくなってしまった。さらに外から、豆腐屋のプー……アー……というやるせない笛の音色《ねいろ》が段々近づいてくるのが聞こえてますます歯がゆく、弱り、このまま私、廃人になってしまうのではないかと本気で怯《おび》えた。しかし私は大掃除《おおそうじ》、という愉快《ゆかい》な企画をふっと思いつけたのでなんとか救われた。単なる掃除だけじゃ物足りない、全部捨ててやろうと、ただ単純労働を求めてうずうずしている体のために巨大な本棚を部屋から運び出す。破天荒《はてんこう》なり。これを捨てたら困るって分かってはいるのだが、起床時に見たあの夕日を浴びた部屋の映像が強迫観念となって何度も目の前にフラッシュバックし、その度《たび》に恐怖を感じ、全部捨てなければ！という衝動が掻《か》き立《た》てられてしまう。

夜を越え、一睡《いっすい》もせず一心不乱に掃除しているうちに朝になってしまった。ちょっと一服《いっぷく》、と朝日を拝みながら台所でキャロットジュースを飲んでいたら、母と目が合った。休日出勤の母は髪をきつく束ねていた。

「夜中、部屋で何してたの？」

と母は私に質問した。

「掃除……を、してた。うるさかった？」

「深夜に掃除機をかけていたわね。ここがマンションだということを忘れているんじゃやない？」

母のその静かに軽蔑《けいべつ》するような声を聞いて、私はいつも通り何も言えなくなった。

母はドアがしっかり閉まっている私の部屋を一瞥《いちべつ》したが何も言わず、玄関で靴を履《は》いた。ほっとした。私達母子はきっとプライバシーの意味を勘違いしている。ドアのばたんと閉まる音を確認してから私は部屋へ戻り片付けを再開した。

結局夕方までかかって、私はやっと部屋にある全ての家具と小物をゴミ捨て場に運び終えた。あと部屋に残るのは学習机とピアノ、この二つは後で業者に連絡して運び出してもらうとして、最後に残ったこのコンピューターを捨てる勇気が出ない。この機械は両親の離婚がやっと決まった六年前に、おじいちゃんが買ってくれた思い出深い品物だ。大阪に住んでいるおじいちゃんと埼玉に住んでいる私は、このコンピューターを使ってEメールを交換しあう約束をした。しかし当時小六の私は、コンピューターと電話回線を繋《つな》ぐのさえスムーズにできず四苦八苦、私と同じ機種のコンピューターを持つおじいちゃんもカタカナだらけの説明書にてこずって愚図愚図《ぐずぐず》、そんな二人、ついにEメールを一度も交換できぬままにおじいちゃん天国へ逝《い》ってしまった。

おじいちゃんの死後も私はコンピューターに搭載《とうさい》されているEメールおよびインターネットの機能を使えるようになろうと引き続き努力したが、失敗。無《む》闇《やみ》にいじくりまわしたせいでエラー発生表示ばかり点滅《てんめつ》するようになってしまったこの機械は、もはや廃品だ。でも、おじいちゃんが孫のためならと年金から大枚《たいまい》はたいて買ってくれたこのコンピューター、そもそも私が小六になってから彼に定期的に手紙を出すことを億劫《おっくう》がり始め、それを淋《さび》しく思ったおじいちゃんが自分への関心を蘇《よみがえ》らせようと苦肉の策で私に買い与えたこのコンピューター、申し訳なくて捨てるに捨てられない。しかしその一方でむらむらと捨てちまいたい欲望がくすぶっていた。私の中で不意に目覚めたずるい完璧《かんぺき》主義が、塵《ちり》一つない完璧な、シャープに四角い部屋をいたずらに欲しがる。

長い時間迷っていたが、埒《らち》があかないので、とりあえずコンピューターの電源を入れてみた。軽く錆《さび》をこするようなひきつり音が内部から聞こえ、画面に弱々しい白い光がヴンと灯り、機械が目覚める。おんぼろコンピューターは機体を細かく震わせながら起動していき画面の光もそれにあわせてぶるぶる震《ふる》える。その震え方は、昔親戚《しんせき》一同でカラオケBOXに行った時に聴いたおじいちゃんのあの歌声、肺活量が弱ってる年寄りならではのあのビブラートがききすぎた歌声を私に思い出させた。のらりくらりと途中で眠ってしまいそうなほどのとろい速度で、機械は少しずつ起動していく。しかしやっと画面にアイコンが並んだと思ったその瞬間、いきなり白衣を着た男のイラストが画面中央で微笑み、それを合図に星が落ちるような音と共に、光が突然画面から消えた。それきり、コンピューターは完全に沈黙。慌《あわ》てて電源ボタンを何度も押す、が状態はなにも変わらず、画面はがらんどうに暗いままである。おじいちゃんコンピューター昇天《しょうてん》、してしまったらしい。合掌《がっしょう》。私は機械に向かって手を合わせた。ごめんなさい。私はコンピューターもおじいちゃんも好きなように振り回すだけで、彼らのもろさを認めようとしなかった。

動かなくなったものを部屋に置いたままにしておくのはつらいので、やはりもう捨ててしまおうとやけっぱちに決意し、私はコンピューターを持ち上げた。それは、ずんと息が詰まるほどに重く、腰に電気が走った。でもこれを素手《すで》で運ぶくらいの誠意はもたなきゃ絶対ダメだねと光一口調で自分を叱《しか》りつけ、私は機械抱えてゆっくり歩き出した。最新のコンピューターより一回りか二回りも大きいそれは、何度も私の手からずり落ちそうになる。慌てて体勢を立て直し顔を機体に押し付けるとたくさんの埃《ほこり》が舞い、目の前で夕陽を受けてきらめいた。

機械を抱えたままなんとか外に出て、エレベーターを使って1階まで降り、キーボードを何回も落としながらマンションの住人専用の駐車場を通り抜け、目的地のゴミ捨て場にやっと着いた。2階建ての巨大な駐車場に陽の光を遮《さえぎ》られているゴミ捨て場である。マンションの中にいた時は健《すこ》やかに息づいていた物も、ポリ袋に包まれてここに落とされた途端《とたん》、光を失い音楽を失い、淋しく死ぬ。無機質なコンクリートの厚い壁が、マンションに溢《あふ》れている自然の爽《さわ》やかな空気を全て遮断《しゃだん》してしまうのだ。陽の光と同様に、公園につながっている右の道から吹き込んでくる春風も、すぐに左どんつきの自動車専用スロープの長く暗い坂に吸い込まれてしまい、その間にあるゴミ捨て場を少しもかすめない。この灰色の墓場をしばらく眺《なが》めていたら、機械を持つ腕が震えた。

この廃墟《はいきょ》の隅《すみ》に私の部屋がそっくりそのまま移っていた。即席で作られたドラマのセットのように、私がぶっとおしで運び続けた家具たちがゴミ捨て場の端《はし》でコの字型のちいさなバリケードを作っている。その見慣れた家具の城の中に入っていき、椅子《いす》の上にコンピューターを置く。と、その途端なんだか途方に暮れてそのままアスファルトの地べたに座り込んでしまった。地面が冷たい。学校へちゃんと行っていると母に思わせるために着てきた制服のスカートに、車が垂《た》らしていったガソリンの油が染み込んでいくのが分かる。けどそれが？　それよりこれからどうしましょう。駐車場から車が出てきて私の後ろを通った。地面からの振動が背中に伝わり脊椎《せきつい》が細かく揺れる。不意に大きな風が吹き、そのせいで沢山《たくさん》並んでいるタンクに山積みされた薄汚いゴミ袋の一つから、結び目がほどけているのか、黄ばんだ紙が次々と飛んだ。それらは宙を舞いながら駐車場の方へ転がっていき、隅っこの暗がりに積もっていく。それより、これからどうしましょう。その紙の動きを眼球だけで追っていたら、紙の一つがこちらに飛んできて私にへばりついた。ぞっとして振り払うと、紙にこびりついていた砂がざらざら落ちてきて私の靴下を汚した。その砂を払う自分の手も、ゴムのきつい靴下に締《し》めつけられているその足も、ゴム人形のような艶《つや》の無い朱色をしていて、掃除の時の活気はどこへやら、私もゴミ化している。それを見た私は死にたーい、と思った。しかし私はそれが嬉しいのである。ほのかにそんな落ちぶれた自分を格好《かっこう》良く思いながらわくわく、私はさらに寝転がってみた。ポーズ。私はこうやってすぐ変人ぶりたがる。あさましく緊張しながら奇《き》抜《ばつ》な行動をやらかす。こんなふうに地べたに横たわるのが私の表現できる精一杯の個性なのだ。アスファルトに頰《ほお》を押しつけると、油臭い地面の上に私のほつれた黒髪が広がった。軽い風が吹いて、何度もスカートがはためき、その度にいちいちパンツが見える、けどそれが？　腐ったようにじっとしていた。

例《たと》えばこの若さ、新鮮な肉体。やがて消えゆく金で買えない宝物の一つ。私は大人になってから、あるいはもっと近い将来に、今のこの時間を無駄遣《むだづか》いだったと悔《く》やむんだろうか。あの五月の時の私、受験生になった途端登校拒否してさらに自宅勉強もせず、何やってたかというとこんなふうにゴミ捨て場に転がり異端児《いたんじ》気取りで、くそっと思うのだろうか。思うような気がする、いや絶対思う。こんな、ほら、目の前のゴミの間をネズミが、もりもり太ったネズミが走って、こんなこと、絶対良い思い出なんかにはならない。

まだお酒も飲めない車も乗れない、ついでにセックスも体験していない処女の一七歳の心に巣食う、この何者にもなれないという枯れた悟《さと》りは何だというのだろう。歌手になりたい訳じゃない作家になりたい訳じゃない、でも中学生の頃には確実に両手に握《にぎ》り締《し》めることができていた私のあらゆる可能性の芽が、気づいたらごそっと減っていて、このまま小さくまとまった人生を送るのかもしれないと思うとどうにも苦しい。もう一七歳だと焦る気持ちと、まだ一七歳だと安心する気持ちが交差する。この苦しさを乗り越えるには。分かっている、必要なのは、もちろんこんなふうにゴミ捨て場へ逃げ出すのではなく、前進。人と同じ生活をしていたらキラリ光る感性がなくなっていくかもなんて、そんなの劣等生用の都合の良い迷信よ、学校に戻ってまたベル席守ることから始めなさい！　光一口調で自分を叱ってみたが、しかし、やっぱり私は動けなかった。自分にほとほと呆《あき》れ、仰向《あおむ》けになってさびれたコンクリートの四角の切れはしからのぞいている暮れかけの空を見上げる。

光一の言葉、時々母にも言われる言葉を思い出した。

あんたにゃ人生の目標がないのよ。

「大丈夫ですか？」

背後で突然そんな声が聞こえて私は飛び起きた。声のする方へ振り返ると、一人の男の子が少し遠くから私を見つめていた。小学生くらいの子で、傍《かたわ》らに自転車を携《たずさ》えて心配そうな顔をしてこちらを見ていた。転がっていた私を気づかってくれたのだ。

「あー私なら大丈夫、軽い貧血だよ。心配ありがとう。ね、それより今ここでフリーマーケットやってるんだけど見て行かない？」

口からそんなでまかせを言うと子供は信じたのか、自転車を引きながらこっちへ近づいてきた。猫と子供はたとえ警戒心丸出しであっても寄ってきてくれると異様に嬉しいものである。私ははりきって周りの粗大《そだい》ゴミを子供に見せ始めた。

「この扇風機《せんぷうき》とかいらない？　まだ季節早いけど酢飯《すめし》冷やす時に使ったら便利だから、母の日のプレゼントとしてママにあげなさい。」

商売人よろしくあぐらをかいて座り直して、扇風機を子供の目の前まで掲《かか》げる。すると子供は強張《こわば》った顔をして身を引いた。

「逃げるな逃げるな。じゃあマンガは、どう？　ほらこれバガボンドの一から九巻。このサイズのマンガは上等なんだよ。」

子供は遠慮《えんりょ》がちに笑い、それもう持ってますと答えた。それから少し興味がわいたのか落ち着いて私のゴミの山を眺め始めた。私一人わくわくしてもっと良いゴミがないか探し回っていた。しばらくしてから、子供は椅子の上のあの廃品を指さして言った。

「このコンピューターを買っていいですか？」

私は驚いて言った。

「それ？　それはもう死んでるからダーメ。ね、そんなのよりこれどうＭＤウォークマン。豪華《ごうか》でしょびっくりしたでしょ、しかもねあのね、これ無料であげる。だって実は私ここの周りにある物全部捨てるつもりだったから。」

子供は、コンピューターに触れた。

「これ故障してるんですか？」

「多分。さっき久しぶりに電源入れたら、すぐ画面の明かりが消えた。」

「うーん。でもやっぱり、これ欲しいなあ。」

「それはね、」私は粘《ねば》った。

「ほんとにぶっ壊れてるし、それにもし直ったとしても、六年も前に作られた化石電脳機械だからすごい使いにくいよ。」

子供は真面目な顔で機械を長い間見つめた後言った。

「大丈夫だと思います。」

私は大きく口を開けてまた反論しようとしたが、そのときふっとこのおじいちゃんのコンピューターが昔のように快活にキュインキュイン起動している姿が目の前に浮かんだので、あ、それはめでたい、

「本当に直せるのなら差し上げます。」

私はきっぱりと言った。子供は礼を言い、コンピューターを持ち上げようとした。が、重すぎたのか、子供は機械に抱きついたままの格好で動かない。中《ちゅう》腰《ごし》のまま石のように固まってしまった子供を見て、私は心配になり、そんなんで家まで持って帰れるの？　と聞いた。

「大丈夫です、僕の家はここのマンションだから、自転車のカゴの上にこれを載せることさえできれば、そのまま自転車を引いてマンションの中に入ってすぐエレベーターに乗って、それだけで家に帰れます。」

それを聞いた私は機械にへばりついている子供をはがし、機械をすぐ持ち上げて自転車のカゴの上に載せてやった。子供は礼を言い、不安定な機械を支えつつ自転車を前に進め始めた。しかし数歩歩いてから思い出したように私に言った。

「あとの残った粗大ゴミはどうするんですか？」

あーまだ欲しいのあるなら持っていっていいよ、と私が気を利《き》かしたつもりで軽く言ったら子供は、

「あ、そうじゃなくて、ここに大型ゴミ捨てちゃうと管理人さんが家まで来て怒るって聞いたことあるから、大丈夫かなと思って。ここはゴミ捨て場だけど普通のゴミを捨てるところで、粗大ゴミ捨てる場所じゃないから。」

私は後ずさって巨大なゴミ捨て場を眺めた。ギターなんかも片隅に捨てられていたが、他は確かに青いポリ袋の玉ばかりで、目立つ大型ゴミは私の捨てた一ヵ所にしかなかった。本当いうと私だって運んでる途中で大型ゴミの置き場所が間違っていることくらい気づいていた。でも私のゴミの城は、駐車場とゴミ捨て場で構成されているこの巨大なコンクリートジャングルの中で、ただ一つ命あるものとして咲いていたから、惜しくて撤去《てっきょ》する気になれなかったのである。しかし管理人さんがこのゴミの問題で家に押しかけてくる事態はなんと

しても避けたい。万が一管理人さんが私の母にこれだけのものを娘さんが捨てていたなんてチクッたりしたら大変な事になってしまう。それにしてもこのゴミの量、また移動させなくちゃいけないと思うと思わずため息が洩《も》れた。子供は自転車の上のコンピューターを手とあごで支えた危なっかしい格好で「僕も片付け手伝います」と言ってきたが、こんなひょろい千使えるか、私はその申し出を断り、空を見上げた。空は、端から端まで薄暗くなっていた。マンションの全11階分もの廊下《ろうか》に隙間《すきま》なくついてる黄色い蛍光灯《けいこうとう》が、間もなく訪れる夜の闇《やみ》に備えて流れる雲の下で既《すで》にこうこうと光っていた。

今からこのゴミ達を指定の粗大ゴミ置き場へ全部移動させるとなると、これは夜中までかかってしまうかもしれないなと私は思った。でもいいのだ。一人でやり遂《と》げる、昨日みたいに懐中電灯を口にくわえて、何時間でも好きなだけ頑張れば良いのだと感じた。だって今の私には明日の学校に備えて早く寝る必要がない。つまり、こういうのを自由と言うのだろうか、自転車をマンションに向かって引いていく子供の細い背中を見送りながら考えた。明日の予定がないため夜を境として一日一日を区切っていく必要がなくて、明日が今日の延長線上にあるということを実感できるこの生活は、自由？　まさか。光一が聞いたら滅茶苦茶《めちゃくちゃ》怒りそうな思想である。しかし私は、心の中でわめく光一に必死で刃向《はむ》かう。でもその生き方が良いか悪いかなんてそれぞれの価値観じゃないか。幸福。結局それなのだと思った。どんな生活でもどんな生き方を選んでも、その人が毎日を幸せに送れているのならその人の勝ち。さて、じゃあ私の場合なら、明日に備えるために今日の夜を少し削《けず》る前みたいな生活と、明日と今日に区別をつけない今みたいな生活と、どちらを選んだ方が人生をより濃く、より能率的に生きられるのだろうか？　真性怠《なま》け者《もの》の私はやっぱりまだまだ得して生きたい、たとえその探究に時間を費やしすぎて、自滅《じめつ》するというマヌケな結果を迎えることになったとしても。
どっちを選んだ方が、幸せ？

学校に行かなくなってから五日間が経《た》ち、私にもようやく大まかな新しい生活スタイルが確立されてきた。私の登校拒否の一日は母を騙すことを中心に動く。朝、私はこれまでと変わらず制服を着て、何食わぬ顔をして家を出る。しかしその後もちろん登校はせずに、かわりにマンションの物陰《ものかげ》に隠れ、母が出勤する午前八時半をじっと待つ。そして母が家を出てエレベーターに乗り会社へ向かうのを見届けてから、また家へ戻ってきてそれからはその一日をずっと家に引きこもって過ごす。昼に電話がかかってきても取らないようにしたり、母が家にいる間はバレないようにと鍵《かぎ》を閉めっぱなしにしている私の空《から》っぽの部屋の換気を行ったりして日中を過ごし、そして夜に仕事から帰ってきた母を澄《す》まし顔で迎える。こんな方法であの母からこれからも長い間逃げ切れるとは思っていなかったが他に何も思いつかなかったので、私はその生活スタイルを冷《ひ》や汗《あせ》垂らしながらも繰り返した。しかし今日は土曜日である。学校は授業があるが母の会社は休みの、ややこしい日だ。母がずっと家にいるせいでいつものようにすぐには家へ戻れない私は、じゃあ気晴《きばら》しに街へ服買いに行こうか！などと意気込んだりもしてみたが、結局勇気が出ず、仕方なしに人が全くといっていいほど通らない屋上に続いている階段に座って午前中を過ごすことにした。ここは穴場だ。屋根が無いので、太陽の光が何にも遮《さえぎ》られることなく直接この階段の白いコンクリートの上に降り注いでくる。風通しも抜群で髪はばさばさとはためき、頭上の高く青い空まで吹き飛ばされそうなほどの強い風が薫《かお》る。そして何より目の前のこの絶景、といっても下に広がるのはマンションについてる平和な大きい公園だが、11階建てのマンションの屋上の高さから下を見下ろすと、それだけでぐらっとくるような迫力があるのだ。ここはそんな、人を雄々《おお》しくさせるような爽快《そうかい》な場所なのであるが、しかし私以外の人がこの階段を使っているのを見たことは本当に少ない。屋上があるということにまだ気づいてない住民が多いから、というのが一番の理由だと思うが、もう一つ、ここで飛び降り自殺者が出たというのもこの場所の過疎《かそ》化の大きな要因となっているると思われる。つい最近、今年の四月に大学生の男が自分の意思でここから落ちた。春を、越せなかった。その大学生も最期《さいご》摑《つか》んだであろう肩までの高さのコンクリートから大きく身を乗り出してみたら、恐怖で一気に力が萎《な》えた。開けっぱなしになっている口からよだれが垂れて、それが糸を引きながら果てしなく下へ落ちていく。身体が震《ふる》え、頭の重みが気になった。死んだ学生はこの本能の怯えを我慢できるくらいに現実に怯えていたのだと思うと、私なんか全然だ。と真面目な気持ちで思った。ふと下界《げかい》を見ると、午前中だけの本日の授業を終えた小学生達がぞくぞくとマンションに帰ってきており、公園は子供達の様々な色のランドセルで埋め尽くされていた。かれらの帰宅でマンション内はにわかに活気づいていく。どの階からも子供の歓声と廊下を走り回る足音が聞こえるようになり、そしてその子達の帰宅時間を計算して用意されていたのであろう昼ご飯のチャーハンの匂いが、こんなはずれの場所にまで流れてきて鼻をくすぐる。

マンションのいいところ。それは、この建物には幾百《いくひゃく》の別々のドアがあり、そのそれぞれのドアの奥にはまた別々の人間が住んでいるのにもかかわらず、こんなふうにマンション全体で今のように賑《にぎ》やかになったり、光ったりやわらいだりと潮の満ち引きをするところだと思う。マンションは一つの大きな生命体だとも思う。同じ波のリズムが誰も気づかないうちにここに住む人全員に浸《しん》透《とう》している。私もそのやわらかな流れに乗って、家へ帰ることにした。

階段を離れ、まっすぐ続く長い廊下を歩いていると母が家の前で女の人と立ち話しているのが見えた。こんな近距離に母がいたとはと内心冷や汗の気分で母に近づいていくと、母は私に気づき、あらお帰りと声をかけた。私はただいまと母に言葉を返し、ついでに母の横にいる、母よりは若いかぼそい感じの見知らぬ女性にも挨拶《あいさつ》をした。女の人は私に小さく頭を下げて会釈《えしやく》したけれどそれだけで何も言わず、大人のくせに私と目を合わせることができないのか、戸《と》惑《まど》ったように目をそらして地面に視線を落とした。沈黙《ちんもく》が流れる。

私が立ち去ろうとすると女の人が口を開いた。

「高校生さん？　素敵な制服ね。」

「ええ高校三年生ですよ。」

私が言う前に母が早口でそう答えた。

「いい色のスカートだわ、スカイブルー。」

「そうですかね。」

母がまた早口で答える。そして女の人は顔よりずっと年老いた手を頬にあてしばらく私の制服に視線を漂わせていたが、恥ずかしくなったのか、またふっとうつむいてしまった。沈、黙。母が意図的に作り上げた威圧的《いあってき》な沈黙である。母は話を早く切り上げたい時によくこの必殺技を使う、母は貴重な時間を潰《つぶ》す世間話の類《たぐい》が大嫌いな人である。私は段々小さくなっていく目の前の女性を不憫《ふびん》に思っていたが、早くずらかりたがっている母の妖気《ようき》を肌にビシビシ感じたので恐ろしくて新しい話題を持ち出す勇気を出せなかった。沈黙が、続く。

うーん、静かだ。息づまる。廊下から見渡せる平和な天上界と下界は今、私たちを見放してぐんと遠くになってしまった。ただ雲だけがうすい青空の中を流れ、その淡《あわ》い影が女の人の白いカーディガンや白い顔の上をすべっていく。

その空間の広さに私はもう押し潰されてしまいそうだ。私を含むクラスメイト達は教室で毎日これだけの空間を他愛《たわい》ないおしゃべりで埋めることに成功しているのだから、すごい。しかもそれに気づいてない振りして安心を成り立たせているのだから、健気《けなげ》である。それが母の言うように愚《おろ》かなことだというのは十分分かっているが、私達は今みたいな沈黙はもう息苦しくてたまらないのだ。よくこんなふうに会話が途切れる状態のことを、天使様がお通りになったなどと言うけれど、私はそいつが友達との会話のなかにやってくる度逃げ出したくなるほどぞっとする。そしてその話題の途切れにできた変な間《ま》を無理矢理埋めようとして、急いである事ない事いい加減な話を作り上げ、それをしどろもどろのうちに披露《ひろう》してしまう。一見すると相手を気づかっているように見える私のその場取り繕《つくろ》いの癖《くせ》であるが、もちろんこの行為は人のためにやってるのではなくただ自分のせり上がってくる恐怖を鎮《しず》めるためにやっている行為で、第一私のそんな姿はすごく見苦しいから友達もいい加減迷惑に思っているはずだが、分かっているのだが、でもやめられない。沈黙って嫌だ、どっと疲れる、息苦しい。母と一緒にご飯を食べるのを私が避《さ》けがちになってしまうのはこれが嫌なせいである。あのお喋りな光一が側にいてくれたらと切実に思った。母にびびらず喋り続けてくれる私専用のマシーンが欲しい。

「……ソナチネっていう下着メーカー、知ってますか?」

女の人の独り言《ひとりごと》のような囁《ささや》き声が聞こえた。天の助けだ、私はぱっと顔を上げた。そう、こういうのこそ、〝天使様がお通りになった〟。

「知ってます。」

私が意気込んで答えると、女の人は無表情のまま、でも頰を紅潮させて一気に喋った。

「あの私、デパートの、その会社の下着を販売しているコーナーで仕事をしているんですけど、そのせいで、下着の試着品、呼び方が違うかもしれないけれど、その試着品みたいなものをよくもらうの。でもその下さる下着っていうのが、若い人向けというのかしら、言い方が違うかもしれないけど、私なんかにはとうていつけられないような代物《しろもの》なんですね。あの、だからもしあなたが下着という物なんかに興味のある人なら、若いわけだし、それらをもらって下さらないかしら？」

その言葉を聞き私は知らない人からもらった下着を肌につける瞬間を想像して鳥肌が立ったが、なんとかそれを顔に出さずに「私下着に興味あります嬉しいです。」と答えた。私の言葉を聞くと女の人はさらに顔をほてらせ、無言のうちに手でここで待っててという動作をしたかと思うとすぐに廊下を小走りに走りだし、そのままエレベーターの中に消えた。残された私と母はあっけにとられた。しばらくの間の後、母が、

「変わった人ね、よりによって下着を〝お隣さんにおすそわけ〟なんて。」

と低い声で言った。しかし表情は穏《おだ》やかだった。私はというと女の人の年不《ふ》相応《そうおう》のひたむきさに不思議な感動を覚えてその場にしばし立ち尽くしていた。


しかしその数分後、母は激怒し、私は脱力していた。

「何考えてるのあの人は！」

母は吐き捨てるように言ったが、まあ、その怒りももっともだと言わざるを得ない。私は途方に暮れて女の人が持ってきた段ボールの中身を見つめた。その中にはパンツパンツ、パンツばっかり。恐るべき量のパンツが詰め込まれている。しかも全てのパンツは、ＯＬが勝負下着と呼ぶような高級エロ下着で、レースがたっぷりついていたりシルクであったりＴバックであったりと、確かに〝若いヒト用〟の物ではあるが、母はヒモパンをつまんでため息をついた。

「マンションの自治会の席が隣同士になっただけの私に、しかも私の娘にどうしてこんな物をこんな沢山プレゼントしなきゃならないのよ……。」

母の話によると、あの人は青木さんという名で最近このマンションに引っ越してきたばかりの人なんだそうだ。母がマンションの自治会の席で義理で話しかけたら彼女はなぜか家までついて来てしまい、母いわく、

「最初から変だった。」

母は段ボール箱を覗きながら冷たく言い放った。

「好意も行き過ぎると不気味《ぶきみ》だわね、あの人には常識がない。私、ああいうおどおどした不器用な人は生理的に受けつけないわ。」

青木さんほどではないにしても、かなりの不器用である私は後ろ暗い気分で母のその言葉を聞いていた。高倉健のようなプラスの不器用さではなく、この青木さんのような、相手の人間を思わずのけぞらせてしまう程の異様な一途《いちず》さ

をぶっつけてくるマイナスの不器用さを持った人は、実際迷惑だ。怖い。よくクラスのみんなは、自分を可愛く見せるためにわざわざ不器用なふりをしてドジッ子を装う娘達をぶりっこなどと呼んで嫌うが、この本物の不器用よりはそのぶりっこ達の作られた不器用さの方が余程《よほど》マシだと思う。媚《こ》びの武器としての不器用は軽い笑いを誘う可愛いものだけれど、本当の不器用は、愛嬌《あいきよう》がなく、みじめに泥臭《どろくさ》く、見ている方の人間をぎゅっと真面目《まじめ》にさせるから。

母は何も言わず家を出て行った後、マンション近くのチケットショップにでも行ってきたのか、包装された金券サイズの代物を手にしてすぐ帰ってきた。

「これ図書券よ。青木さんにもお子さんがいるらしいから、あなた、下着のお礼としてこの図書券を青木さんちに持っていきなさい。あの人の家は8階の812号室よ、早めに行ってきて。まったく、余計な手間だわ。」

母のその言葉に私は無言でその金券を受取り、足どり荒く家を出た。

青木さんの家は廊下のどんつきにあった。ネームプレイトのＡＯＫＩの文字を確認してからチャイムを押す。そして家の人が出てくるまでの間、私は気晴しのためにこっそり図書券の包みを開けて額《がく》を数えてやった。わあなんと一万円分もの図書券である、券に印刷された二〇人もの清少納言がこちらに向かって微笑《ほほえ》んでいた。それらを扇形《おうぎがた》に広げて見とれていたらドアの向こうから足音の近づいてくるのが聞こえ、急いで図書券を包み直す。が、その時慌てすぎたのか、一枚の図書券が指の間をすりぬけてひらりと飛んだ。それに気をとられた瞬間包みをおさえていた手をゆるめてしまい、他の図書券も見事に全部落としてしまった。桜色の手切れ金達が次々宙を舞い廊下の上を滑《すべ》る。それらを必死で掻《か》き集《あつ》めている時にドアが開いた。とっさに顔に愛想笑いを張り付けて、しゃがんだまま上を見上げる。

…………。

「あ、ひさしぶり。」

子供の方が先にそう言った。私は年上なのに出遅れて、悔《くや》しかった。目の前に現われたのは、あの三日前ゴミ捨て場で会った子供である。私は何故かおもしろい気分になってしまって、不意にだらしなく笑い始めた。

「なんで笑ってるんですか？」子供が聞く。

「だってあんた、またあたしのこと見下ろしてるんだもん。」

私はそう答えてまだ笑い続けた。最近私が会話した唯一《ゆいいつ》の人間である子供は、けげんそうな顔で私を見つめている。

「あんた名前、青木なの？」

「そうですけど。何の用でしょうか？」

子供は少しずつドアを閉めていきながら言った。

「用？　あーそうだった、私あんたにじゃなくてあんたのママに用があるんだよ。青木さんからさっきもらったプレゼントのお礼を渡すためにここへ来たんだ。だから、ねえ青木さん呼んで。」

「はあ。あいにく今母はちょうど出かけてて家にはいませんけど。」子供は私を不審《ふしん》そうに見て言った。

「なんだ。」私はがっかりした。じゃあせめてこの図書券を渡してから帰ろうと決めて立ち上がる。が、その時ふと、この子供にコンピューターをあげたことを思い出し、子供にもう一度話しかけた。

「そういえば、あんたあのコンピューターちゃんと直せた？」

するとと子供は言いにくそうに答えた。

「すいません。あれ直せなくてもう一度捨てさせてもらいました。」

それを聞き、あの機械がスクラップになって廃棄物《はいきぶつ》処理場で日にさらされてる光景が目の前に浮かび、私は大きく口を開けた。が、かろうじて叫ばずに聞いた。

「どこに捨てたの?」

「このマンションの大型ゴミ捨て場。」

私は口を閉じた。居心地悪そうにうつむいている子供を、じっと見る。清潔そうな紺色《こんいろ》のシャツからのぞいている、子供の細い手首に視線を注ぎながら私は言った。

「そう。コンピューター重かったのに8階まで上げたり下げたりと大変だったね。直そうと努力してくれてありがとう。ねえ気になってたんだけどあんたあの夕方、言ってた通り本当に最後まで自転車を使ってコンピューターをこの家まで運んだの? 自転車のままエレベーターに乗ったの?」

「はい。そんなことしたら駄目って分かってたけど、重くて。」

「そうだよね、持ち上げることすらできてなかったもんね。でもそれならコンピューターを捨てる時にも自転車使わなきゃ、ゴミ捨て場まで運べないよね。なのにどうしてまだあんたの自転車、8階のここにあるの？」

私は青木家のドアの横の隅にたてかけられてある自転車を指さして言った。

子供はそれをちらっと見た後すぐに答えた。

「お父さんが。ぼくの父親が大型ゴミ捨て場へ素手で持っていってくれました。」

「いつ？」

「昨日。」

子供のその返事を聞いた私は、はしゃいで言った。

「うーそー。昨日大型ゴミ捨て場にはコンピューターなんか一台も捨てられてなかったよ。昨日だけと言わず、私があんたにコンピューターあげた日から今日までずっと、あの大型ゴミ捨て場にあの機械が捨てられていたことはありませんでしたよ。私さ、あの粗大ゴミの山を大型ゴミ捨て場に移動させるのに、実は結局今日の早朝までかかってたんだ。だからずっとあのゴミ捨て場を出入りしてたということになるけど、コンピューターのゴミは確かになかった。……怪《あや》しいな、本当にコンピューター捨てました、か？」

「捨てたよ、」

子供の語尾《ごび》が乱れる、私は子供の顔を意地悪く覗き込んだ。子供は無表情である。が、しばらくして照れたように笑ったかと思うと、顔を上げて、子供らしい水分を多く含んだ瞳《ひとみ》で私を見て言った。

「捨ててない、実は。しかも直せた。」

私は脱力して、思わず大声を出した。

「なんだよやっぱりなあ！　へえ、あれ直ったの！　めでたい話じゃない、なんで隠すのさ。ね、じゃあ直ったコンピューター見せてよ、これあげるから。」

そう言って私は子供の背後にまわり彼の服の後ろについてるフードに図書券の束をねじこんだ。子供はフードの中身を見ようとしてそれをひっくり返し、金券を頭から浴び一気に金まみれになった。くだらないことに大喜びの私は手を叩《たた》いて笑った。それを拾い上げながら子供が聞く。

「この図書券どうしたんですか？」

「だから、それが青木さんからもらったパンツのプレゼントのお礼よ。青木さんの子供、つまりあんたにあげることに初めっからなってたの。驚異《きょうい》の一万円分だよ、大事に使いたまえ。青木くんって、私からコンピューターもらえるは金券もらえるは、得してるね。」

私のその言葉を聞いて子供は意外そうな表情をした。

「本当にお礼のために来たんだ。」

「そうよ。私はあんたからコンピューター取り返すために来たわけじゃないよ。」

私がそう言うと子供は軽くうなずいた。そして家の中へ入り、カーペットのしきつめてある廊下を歩いていった。私もそれに続く。

家には私達以外は誰もいなかった。子供がリビングの横の和室に入ったので私もその畳《たたみ》を踏ませてもらう。和室の様子はシンプルで、小さい箪笥《たんす》と部屋の中央に積まれている洗濯物があるきりで、あのごついコンピューターの姿はどこにもない。ので、分かったこの中にあるんだなとふざけて洗濯物の山をつついたりしていたら、子供は部屋の正面にある押入れの前に行き、その襖《ふすま》を開けた。目の前に現われた異様な押入れの中を見て驚く。押入れには何も収納されてなくて、上下共何も入ってないすっからかんの押入れの上段の左側の奥に、ただコンピューターだけがぽつんとある。その寒々とした薄暗い空間の迫力に押されて私は押入れってこんな広い収納スペースだったんだ……と思わず感心した。

コンピューターに近づいてみると背部からケーブルが延びているのが見え、その管は目立たないように壁の角に沿ってテープ貼《ば》りされてコンセントまで続いていた。私は唖《あ》然《ぜん》として「なんでコンピューターこんな所に置くの？」と聞いた。機械に触れてみると、以前私の部屋にこれがあった時のような埃は舞わず、きちんと磨かれているのが分かった。

「僕、あなたからこれ貰《もら》ったことを親に秘密にしてるんです。で、ここに置いておけばバレないから。」

子供は私の問いにそう答え、次に、コンピューター起動させてみたらどうですかと私に勧めた。私は早速《さっそく》押入れの上段によじ登りそこに座って、機械のキーボードについている起動のための三角ボタンを押した。すると機械はジャーン！　と予想外に盛大な起動音を響かせてから起動し始めた。

音が大きい！　と驚いて言うと子供は、

「インストールし直したせいで起動時の音量も初期の大きさに戻ったんだと思います。」と答え、押入れの外から手を伸ばしマウスを手に取った。

「インストールって何？」

「ディスクなんかを使ってコンピューターに新しい機能を取り入れることです。でも僕は、インストールをしたんじゃなくて、インストールをしなおした、つまりリセットしただけです。」

「Eメールはできる？」私は気になっていることを聞いた。

「できます。インターネットも。」

子供はマウスの上で人指し指をカチリと動かし、すると画面の様子が素早く変わり、YAHOO！という赤の文字がすぐさま浮かび上がった。ハイスピードで色とりどりになっていく画面を見て私は息を呑《の》む。このおんぼろにこんな才能があったとは、どうやら私のコンピューターは生まれ変わっていた。キレイでスピーディーで私の知らないカタカナ語も理解できるようになったらしい。昔の面影《おもかげ》まるでなしである。

「あんたはこれをすぐ直せたの？」

「はい。直したっていうかケーブルつなげたら普通にすぐ起動しましたよ。」

ということはつまり、私のやり方がまずかっただけで、機械は少しも壊れてなどいなかったわけだ、ただ死んだふりをしていた。そして賢《かしこ》き子供に拾われて見事この押入れでデビューを果たした。おじいちゃん、やり手である。強い光を放つ画面に触れてみたら、指の先で、パッと静電気のはじける音がした。

「あの、僕気になってたんですけど、あなたどうしてあの日あんなに一気に沢山のゴミを捨ててたんですか？　引っ越しだと思ってたけど、今ここにいるってことは、そうじゃないですよね。」

コンピューターの華麗なる変身を見てなんだか意気消沈《いきしょうちん》した私は、その問いに押入れの壁にもたれながら答えた。

「心機一転のためよ、部屋にある物気晴しのために全部捨てて学校やめて部屋空っぽにして、それだけの事を発作的に済ませて、それで何が残るのかなあと思ってたけど、何も残らなかった。私を追い越してコンピューターの方が先に生まれ変わってるんだもん、うらやましいぞコノヤロウ。」

私はそう言って機械の角を指ではじいた。機械はつんと澄まして変わらず微風を内部から出し続けていた。子供が驚いて聞く。

「学校やめたんですか？　でもその服、制服ですよね。」

「あー違う、違うの、私まだやめてはいないの、登校拒否児なだけです。そんでこの制服は、あんたの押入れと同じよ、学校行ってないの親に秘密にしてるから登校してるって見せかけるために着てるのよ。カモフラージュ。あーあ、私もコンピューター買おうかなあ。電脳の世界に飛び込めば人生の目標やら生きがいやらを見つけられるかもしれないし。」

情けない気持ちで画面を覗いていると、黙っていた子供が急にぽそりと言った。

「働くっていうのはどうですか？　僕と組んで、働く。」

私は子供をけげんな顔をして見た。何を言ってるんだこの子は。すると子供は、はっとして、「嘘です。」と言った。私は意味が分からなくて眉を寄せた。

「嘘って、なにがよ。あんたと組んで働くって、それどういう意味？」

「……僕、一つ仕事を知ってるんです。」子供は遠慮がちに言った。

「あなたみたいに平日の昼間が自由な人と、学校が早く終わる僕みたいな小学生とでできる仕事。その仕事で働くことを生きがいにしてみたら、どうかなって思って。」

私はあっけにとられて、私に仕事を紹介してくれようとしている小学生の職安員をまじまじと見つめた。どう見ても小学生の青木くんは、緊張しているのか伏し目になっている。その生真面目な様子を見ていたら私は不意におかしさがこみ上げ、

「あんた、私のこともインストールしてくれるつもりなの？」とふざけて言って自分で笑った。子供は、そんな大げさなものじゃないけどと言ってため息をついた。

「おもしろいね、話聞かせてよ。それってどんな仕事なの？」

子供はうなずき、押入れから離れた。

「今から紹介する職は、仕事っていうより、コンピューターを使ったアルバイ

トと言う方が正しいのかもしれません。一時間働いて一五〇〇円の収入がある、バイトです。」

子供はテーブルの向かいに座ってから言った。既にリビングの席についていた私は驚いて子供を問いただした。

「一五〇〇円⁉　それ絶対間違ってるよ、今アルバイトの給料なんてマクドナルドで立ちっぱなしで働いても七〇〇円しかもらえないんだよ？　なのにコンピューターをいじるだけでそんな額をもらえるなんてそんなイイ話ってあるもんか。」

子供は私の言葉を聞いて、かなり迷った後、こちらをうかがうようにして言った。

「……でも、テレホンレディの人とかは電話で喋ってるだけなのに時給三〇〇〇円くらいもらえてますよね。」

私はテレホンレディという横文字がどんな職業だったかすぐ思い出せず、一瞬阿呆面《あほうづら》になった。しかしすぐテレクラという言葉が頭に浮かび、次に横断歩道でいつも手渡されるあの派手なティッシュを思い出した。でも、と私は思った。でもテレクラのおねえちゃんの給料がイイのは当り前、だってあれって、

「フウゾクなんですよね。」子供が独り言のように言った。

「チャットっていうインターネット上のシステムを使って男の人と、文字でエッチな会話をするっていうのがこの仕事の内容なんだけど、こういうのもテレクラ嬢と同じでチャット嬢って呼ぶのかなあ。」

子供は他人事《ひとごと》のようにぼんやりとつぶやく。私は呆れて言った。

「私に紹介してくれる職業ってフウゾクだったの⁉」

子供はきまり悪げにうなずく。

「ちょっとー。進路で悩んでるいたいけな登校拒否児に、何勧めるのよ青木く

んは。大体、あんたみたいな小学生のお子さんがどこでそんないかがわしい仕事見つけてこれたの？」

「携帯のメール友達が紹介してくれたんです、けど、やっぱりもういいです。変なこと言い出してすいません。」

子供はそう言い、逃げるように席を立った。でも私は憤慨《ふんがい》した顔をしながらも実は興味津々《きょうみしんしん》だったので、

「逃げるな逃げるな。まだその仕事を引き受けないとは言っておらんだろう。詳しい話聞かせてよ。」

と子供を呼び止めた。子供は苦い表情で言った。

「詳しい話をするとなると、恥ずかしいことまで話さなくちゃいけなくなるんですよ。」

残念ながら、私は男の子の恥ずかしがっている顔を見るのが大好きである。

子供を無理矢理もう一度座らせ、好奇心丸出しに眼を輝かせて聞く態勢に入った。子供は仕方なく話し始める。

「僕には去年の春からメールを交換し続けている女性がいるんです。その人の職業が風俗嬢なんですけど、」私はその時点で吹き出してしまった。ドラえもんに出てくる出木杉くんみたいな子から風俗嬢なんつう言葉が聞けて、IT社会、世も末だなあと思った。青木くんもしょうがなく私と一緒に笑った。

「興味があったんです、そういう職業ってどんなことしなきゃいけないのか知りたくなって。携帯で見ることのできるホームページで、雅《みやび》さんという、主婦でありながら売春している女の人と知り合ってメル友になり、もう一年間ほどずっと彼女とメール交換しています。その雅さんが二日前に僕にチャット嬢の仕事を勧めてきたんです。その時のメールはもう携帯じゃなくてあのコンピューターに来たんですが、見ますか？」

もちろんと私は答え、そして二人でまた和室の押入れに戻った。子供がマウスを使って短い操作をすると、コンピューターの画面に長い活字の文章が並んだ。

☆DEAR　かなこさん☆

ハロー――かなこさん元気？　毎度おなじみみやびです。今、子供と一緒にアンパンマン見ながらメール書いてんの。安らぐわあ。

それであの、突然なんだけど、かなこさん、私の代わりに風俗のバイトやってくれない？　いきなりでビックリ？　まあ風俗っていってもいつも私がやってる本番のやつじゃなくて、チャットでHな会話するだけの、しかも土日まるまる休みのすごく軽いバイトなんだけどーどうかな？　実は私の勤めてる店が最近ホームページ開設してさ、そんで店で働いてる私のような風俗ジョウにチャットでも稼がせようとしてるの。チャットで釣《つ》った客を店に勧誘して二倍儲《もう》けようという計画みたい。でも私人妻でしょ子持ちでしょヤンママでしょっ！

（笑）忙しいんだよ夜の勤めで精一杯で、Ｈチャットまでしてられねんだよ！

という訳《わけ》なのです。でもそんなこと言うとオーナーは恐いのです。不況の中に裸の私を放り出します。かなこさん、あなただって子供の世話大変なのは私百も承知だけど、頼むから私のふりして店のＨＰでチャットしてくれない？　びっくり？　とりあえず返事ちょうだいね。
☆ＦＲＯＭ　みやび☆

「かなこって誰？」と聞くと子供は恥ずかしそうに、

「僕です。男っていうと客にされそうだから、かなことという名の専業主婦として雅さんとメールしてました。」

と言った。オカマーと私がはやしたてると子供は、こういうインターネットの中で性別を偽《いつわ》る人はネカマって言うんですと教えてくれた。

子供の話によると、チャットとはインターネットでできるコミュニケーションの一つで、相手と文字を使って会話するというシステムなのだそうだ。文字を使って相手とコミュニケーションするという点はＥメールと同じだけど、チャットはリアルタイムで、また一度に何人もの人間と文字会話ができるので沢山の人達に人気があると子供は語った。

「あの、」私は子供に何気なく聞いてみた。

「そういう、チャットとかいうやつに関する知識って知ってて当り前、つまり現代人にとって常識のことなの？」

「いや、常識って訳じゃないと思います。インターネットに馴染《なじ》みのない人なら知らなくて当然だと思います。」

私はそれを聞いて安心した。子供が雅のホームページを見せてくれると言って、またマウスを動かし始めた。すると雅のEメールの文面が消え、代わりに画面中央に「コケティッシュチャット館」という丸文字が、いやにファンシーな花のイラストに包まれて登場した。それからその絵柄とはまるで正反対の厳しい赤字、[This Site is Adult (At The Age of Over 20) Only] の文字が画面下に出現した。しかし子供は顔色一つ変えずその赤字の上をクリックする。あんた何歳よ、と聞いたら子供は、一二歳です、と答えて苦笑した。

「このコケティッシュチャット館は、客が一度に一人しか入れない二ショットチャットのシステムを導入している有料ホームページです。客は風俗嬢とのチャット接続料として一〇分間に約六〇〇円を支払っています。客と同じ額の接続料金を取られないようにするため、チャット嬢はこのすみっこのアイコンをクリックし、その後パスワードを入力してから入室します。」

子供の説明の間にまた画面は変わり、次に、みやびのおへやという文字が中央に浮かんできたのだが、それと同時にその下に現われた写真の画像を見て私は息を呑んだ。色白の、太腿《ふともも》の大きい女の人が、裸にエプロンを身につけただけの姿でだらしなく座っている。なるほど人妻仕様、この写真の人が雅さんだと私は確信した。雅さんは手を招き猫のようにくにゃりと曲げ、目尻に笑い皺《じわ》を作ってこちらを見上げていた。彼女のフリルからはみ出たおっぱいが日本人特有にしんなりしていて、当り前だけど私のと似ていて、その生活臭に力が抜けた。

「にゃーん。」

「この人が雅さんです。雅さんは人妻の設定だから、平日の朝一〇時から夜六時、旦那《だんな》さんの帰ってくる時間帯とされている夜六時まで、このチャットルームで営業するというしきたりになっています。でもさっき読んでもらったメールから分かるように雅さんは多忙《たぼう》なので、ここに来ることをさぼり倒しています、今だって営業時間内だからこのルームに入室してなくちゃいけないのに彼女はいません。もしあなたがこの仕事を引き受けてくれるということになると、僕の母が働きに出かけるため僕の家が無人になる時間帯の土日を除く平日の午前から僕が戻るまでをあなたが、夕方を僕が、それぞれここの家でこのコンピューターを使い、このチャットルームを埋めることになります。……どうしますか?」

「どうするって、」私は戸惑った。

「あんたさっき文字で会話するのがチャットとか言ってたけど、あのさ、実は私ワープロさえ打てないんだよね。人指し指だけ使って一分かけて、やっと自分の名前入力できるっていう、そんな感じ。」

私の言葉を聞いて、ここまでとは予想外だったのか子供は絶句した。が、「僕教えるし、慣れたら、なんとかなる……かも。」と付け加えた。

私は気を動転させたまま、画面の中の雅の艶姿《あですがた》に視線を注いだ。そしてこれが私の職となり、生きがいとなるのかよと考えてみると、呆然となった。子供に、あんたはこのバイトやりたいの？　と聞いてみる。すると子供は案外はっきり、やってみたいですねと答えた。私は、やってみたいのだろうか。興味はある、が、私はやはり、自分の若さを気にしていた。女子高生一七歳、肉体みずみずしく、良くも悪くもマスコミにもてはやされている旬《しゅん》の時季である。そんな短い青春の時間に何故、学校へ行かず、代わりになにやら不審な子供と手を組んで人妻に化けて、軽い売春行為にいそしまなければならないのか。私はどれだけ眠らなくてもへっちゃらの強い身体と、歴史上に存在する何百人もの偉人達の名をすべて記憶できる新鮮な脳ミソを持っているのだ。それだけの最高素材をこの押入れの中に閉じ込めてしまうチャット嬢になるという行為は、つまりこれこそ、私が今の大切な時期に最も切り捨てたいと思っていた〝無駄〟である。道の踏《ふ》み外《はず》しである。こんな寄り道を気の迷いで選んだら、何者にもなれそうにない予感が確信、確定に変わってしまうことは間違いないだろう。冗談《じょうだん》じゃないなと思った。

私、女子高生として、旬は旬なりの決断を下さねばならない。

「嫌、ですか?」

子供が目を伏せて聞いた。

「やらせていただきます。」

すんなり言った。口がそう動いた。もういいや。コンピューターを見る。その中で光るエロチックな写真と、そこから広がる私の知らない世界。

おもしろそうだった。

そして私は早速翌日から働くことになり、青木くんにコンピューター及びチャットの基本的な操作を教えてもらった。青木くんはバイトを引き受けるＯＫの返事を雅さんに出しておくと言い、私はこれから朝一〇時から無人の青木家に忍びこみ昼二時までチャット嬢として働くと彼に約束した。子供は私に合鍵《あいかぎ》を渡した。

しかし翌朝、私は約束した時間よりも五時間も早い、夜明けの五時に出勤した。まだ人の息の混じってない、清澄《せいちょう》な朝の空気を吸い込みながら廊下を歩く。なぜか朝風呂にまで入ってきた私は、８階へと落ちていくエレベーターに乗り、湿った髪をいじくりつつ静かに興奮していた。８階へ降り立ち廊下を小走りして、ＡＯＫＩの家の前に着く。目の前のドアに昨日もらった鍵を差し込むと確かな手応えがあり、その後がちゃという開錠《かいじょう》の音が廊下に木霊《こだま》した。初出勤、慎重にドアを押す。私は静かに家の中にすべりこみ、これ以上できないというくらいひっそりドアを閉め、鍵をゆっくりとかけ、玄関に立ちつくして中の様子を探った。薄暗い青木の家の中は少し寒く、物音一つ聞こえずしんとしている。青木家の朝はまだ始まっていないようである。もっとも始まっていたら、これほど怪しい自分をどう説明したら良いのか分からない。制服を着た幽霊のフリでもしようか。靴を脱ぎ、その靴を手に持ってから玄関のマットを裸足《はだし》で踏む。浮かれすぎで靴下をはくことさえ忘れてきた私の足がマットのふかふかの毛に包まれて、足の爪《つめ》に塗られた赤いペディキュアがその中で女泥棒の雰囲気を気取っていた。入ってすぐの左側にドアがあった。多分ここがあの子供部屋のはずである、昨日ポケモンの学習机が置いてあるのが見えたから間違いはない。決心してドアを開け、ベッドに近づいてみると、案《あん》の定《じょう》その中では青木くんが眠っていた。星座柄の青いブランケットにくるまって、目を閉じていた。音楽を聴きながら寝てしまったらしく、コンポから延びているイヤホンが耳に差し込まれたままである。私はその片方を彼の耳から外し自分の耳に入れてから、ＭＤのプレイボタンを押した。すると平井堅のバラードが静かに流れ、私と子供の耳に薄く染み込んだ。そのメロディーに歌声が乗った時に子供はゆっくり目を開けた。私が耳元で、パンツ何色ですか～、と寝起きドッキリリポーターの口調で囁くと子供は眠そうな目で私を見つめ、なぜかうっすら微笑み、ブランケットの中で丸まった。それからいきなり一気に起き上がり、寝起きの不機嫌な顔で私を見上げて小声で言った。

「野田さん困ります、こういうのは。親が隣の部屋で寝ています。正気ですか？」

「正気、ではない。昨日から今日の朝までずっとヤケ酒を呑んでましたからな。学校への未練を振り落とすため、ひな祭りの時から冷蔵庫に入ったままになってた白酒《しろざけ》を全部、あおっておりましたからな。かなり酔うておりまして、正気というより、ピンぼけうつろですな。」

ろれつの回らない口調でそんなことを言ったら、子供が本気で迷惑そうな顔をしたので、私は慌《あわ》てて元の調子に声を戻して言った。

「ははは、嘘です、私はコンピューターの操作をもう一度あんたと一緒におさらいしたかったからこんなに早くやってきたの。仮にもお金もらうんだから、念には念を入れて不手際《ふてぎわ》のない仕事をするために昨日の復習がしたいと思って、来たんだよ。偉いよね。」

それを聞くと子供は寝ぐせのついた髪のままアンニュイな動作でベッドから起き上がると、部屋のドアを開け、押入れに向かった。私もこそこそとそれに続く。

気温の低い押入れの中に乗り込むと、私は子供の監視のもとコンピューターを操作し始めた。まず起動音が昨日のように響《ひび》かないようにヘッドホンのジャックを画面下の小さな穴に差し込んでから、キーボードの三角ボタンプッシュ、起動、完了、NETSCAPEクリック、ダイヤル音、終了、ブックマーククリック、コケティッシュチャット館の文字、みやびのおへやをクリック。

「完璧《かんぺき》じゃないですか。」

「ねえ。」

不平をこめた子供の声にそう答えると、子供は力なく襖にもたれかかった。

「でもここからが本番、チャットの会話速度でのワープロ打ちができるかどうか。」

私がそう言い終わるか言い終わらないかのうちに、子供部屋の方から、かずよし、もう起きたの？　という声が聞こえた。子供は素早く「両親と僕が家を出るまで絶対にここで静かにしといて下さい。」と言い、押入れを閉めようとした、が、私ははっとしてそれを遮った。

「ねえパスワードは？　まだ教えてもらってない。」

「〃ゆい〃です。」

「何それ、人の名前?」

「雅さんの子供の名前だそうです、漢字の、唯一の唯です。じゃ。」かずよしは走り去った。

子供の名前、か。あの雅さんのエロ写真を思い出しながら私はパスワードに唯と打ち込んだ。職業、それは暮らしをたてるためにする仕事。つまりこれはもしかしたら人助けなのかもしれない。私は気を引き締めてがんばろうと心に決めた。だからまだ営業時間前だけど初日のサービスとして入室してやろう、そう思って早速チャットシステムに入室したのだが、あいにくまだ客は来ていなかった。暇にしてると外のリビングで人の気配がし始めた。食器の触れ合う音とテレビから流れてくるCMソングのメロディーが聞こえてくる。押入れの戸を少しだけ開いて和室の正面に隣接《りんせつ》しているリビングを覗くと、家族三人が背の低い方のテーブルで朝食をとっているのが見えた。朝日に包まれたその空間の中で、こちらからは背中しか見えない、多分父親と思われる人が素朴《そぼく》な明るい声で話をしており、青木くんとあのパンツをくれた青木夫人がご飯を食べながら、その父親を何気なく見つめていた。良いなあ。私は白酒の酔いが残るとろんとした目でその光景に見とれた。しばらくして襖を静かに閉め、ふと前を見るとコンピューターの画面に変化が起きていた。さっきなかった文字が並んでいる。

タカ∨ミヤビちゃんお早よう

タカといいます　出勤前の俺の相手して！

客が来たのだ。私は悠然《ゆうぜん》と背筋を伸ばし、気分は博打女郎《ばくちじょろう》で、かかってきなさい、楽しませてあげるわ。

早速返事の言葉を打ち込むにあたって、チャットでの会話は一行程度の文を交互に交《かわ》す方が良いというかずよしのアドバイスを思い出した。良い文を作るというより何よりもテンポが大切です、そうとも言っていた。それらを考慮し、手始めにまあ、おはようとだけ打ってみることに決め、キーボードをひたと見つめながら軽やかにキーを叩き、満足の気分で顔を上げ画面を見た。

みやびＶＯｈＡ￥

なんだこれは、予想外のその文字を見て私は絶句《ぜっく》した。意味不明な私のチャット初言葉が、雅さんのエッチな写真の横で奇怪に光っているのだ。キーの打ち間違いである。画面を確認しつつキーボードを叩かなければこのような失敗をしてしまうのだ、そう気づき、手元を見ないように気をつけながら汗ににじんだ指を動かしてみた。けれどそうすると当り前だがより一層言葉は作れず、しかも何を打ってもアルファベットばかり出てきてしまう。ので焦《あせ》りを通り越して、虚無《きよむ》の気怠《けだる》さが脳に押し寄せてきた。そうして呆《ほう》けている間にも客の夕カさんは次々と言葉を画面に送り込んでくる。

タカ∨ハイ？(^^;)

タカ∨ちょっと何？　みやびいる??

タカ∨なんか言ってよ、ねえ

みやび∨GO，M

タカ∨は!?　意味分からん！

私はたまらなくなり、また押入れの戸を少し開け、子供の姿を必死で探した。するところが運よく子供が一人でソファに座り、靴下をはいていた。

「かずよし、」

私が小声で呼ぶと子供は顔を上げ、速《すみ》やかにこちらへやってきた。

「ねえこれローマ字から日本語に変換できないよ、昨日教えてもらった通りにやってるのにごめんって打とうとしても、ほらGOって表示されてしまう。」

私の上ずった声を聞くとかずよしは周囲を見回してから素早く押入れに上がった。そしてちらと画面を見て、手早くキーボードを叩いた。新しいメッセージが画面に浮かぶ。

みやび∨ごめんなさーい　ミヤビ、今　一人エッチしてたあ

私は目を見開いた。悔しいが、かずよしの方が私より数倍優秀な人材のようだ。

「これで大丈夫、日本語打てます。あと、頑張って下さいね。」

かずよしは爽やかにそう言い残し、廊下を走っていった。

生まれては消え、また生まれては消えていく、有料の文字会話。

みやび∨なんのお仕事してるの？

ARASHI＞コンピューター関係のサラリーマン

このところ忙しかったから　すごい精力たまってるわけ

みやび＞みやびのところに来てくれてウレシイ！

ARASHI＞満足させろよ

晴れてチャット嬢となった私は、みやびの名で、会社でハラハラしながらコンピューターを開いているサラリーマンや昼に自由な時間がある浪人生、深夜に高速に出て働くトラックの運転手などの相手をした。私がチャットルームにいるのは朝と昼のみだから、やってくる人達の職種はそれくらいに限られているように思われた。が、もっともそれは推測で、嘘つき放題のチャットの世界だから職業を偽られている可能性は大だ。私自身だって、そりゃもう年齢も名前も嘘だらけ、インターネット上の匿名性《とくめいせい》を思う存分利用させてもらってここにいるので生意気なことは言えないが、〝いつもは忙しいビジネスマン〟と名乗る男があまりに多いのには呆《あき》れる。

のりひろ∨突然やけど聞かせてもらう　みやびが一番感じるトコってどこ⁉

みやび∨あのね、あそこの、でっぱったところ。

のりひろ∨クリトリス？

みやび∨やあだ

のりひろ∨クリトリス

ぬれた。一つHな言葉を書かれるたびに、一つHな言葉を書くたびに、下半身が熱くたぎって崩れ落ちそうになり、パンツが湿った。その会話の内容に感じるというより、自分が今やっていることの不健康さに感じてしまうのだ。昼間に他人の押入れの中で制服着たままエロチャット。かずよしに、あんたはなんでわざわざこんなお古のコンピューター拾ったの？　お金なかったの？　と聞いたら彼は、お金がどうとかじゃないです、なんていうのかなあジャンクのコンピューターを使って押入れでぼろもうけ、そういうのに憧《あこが》れたからでしょうか。と答えたけど、そのかずよしのこだわりが効いているのか、この押入れの仕事場は変に情緒《じょうちょ》がある。その薄汚いロマンの雰囲気《ふんいき》に押されぎみだった私は、緊張のため、反対にエロに対して頑《かたく》なな態度を取ってしまい、興ざめな返事を返して客の男を怒らせた。しかしそれはチャット嬢になりたての頃だけの話であって、二週間が経った今ではそのようなウブさは全くない。慣れた。ほぼ毎日チャットやっていたんだから当り前ともいえよう。自分で作ったお弁当をつっつきながらキーボードを叩く。コケティッシュチャット館には他にもいくつか風俗嬢のおへやがあるのだが、二一歳ＯＬ桐子《きりこ》のおへやは女王様系、二〇歳家事手伝いマリコのおへやは清純系などと暗黙の了解で種類分けしてあり、どうも二六歳みやびのおへやは頭の軽いエロ妻系という役割のようなので、漢字を使わずなるべくバカッぽい言葉を書くように、というのにだけはいつも気をつけていた。他は特に何も意識せず、ただ流れる水にたゆたうが如《ごと》く客の男の興奮の勢いに乗って言葉を作るだけである。すると段々日本のどこに住んでいるかも分からない、画面の向こうの男が可愛く思えてくる。

しんすけ>雅ちゃんは何歳ねんや

みやび>26さい＊＊＊

しんすけ>もうおばはんやないかー俺は乳首ピンクの女子高生と話したいねん

みやび>みやびもぴんくだよお

しんすけ>ほんならええわ

みやび>ありがとっ

実はホンモノの女子高生ですと名乗りたくなるようなチャットの会話は、幾《いく》度《ど》となく繰り返された。このバイトをし始めて改めて気づかされたが、やはり女子高生というのはブランドらしい。しかし私はそれを喜ばず、反対に、26だって十分若いのに、と雅の気持ちで憤慨してしまう。

明∨雅さんは本当に結婚してるの？

みやび∨うん！　子どももいるのー

明∨いいね。俺、雅さんみたいな人妻を犯してみたいな。

みやび∨じゃあお店に来てよう

明∨店東京にあるんでしょ？　無理、俺は神戸に住んでるんだから。となると、もうなんだか虚《むな》しいね。

さよなら、もう落ちるよ。

落ちる、というのはチャット利用者が最もよく使う用語の一つで、退室するという意味のネット専門用語だ。チャットをやめ、そのチャットルームのページから出る、という意味として使われている。初め私は何がどっからどこへ落ちるのかななどと考えて混乱するばかりだったけれど、何回かその言葉に出くわすうちにいつも会話の最後に用いられていることに気づき、なるほど落ちるは〝帰る〟の意味だ、と分かった。人が仮想から現実へ落ちてゆくのだ。それにしてもなぜ〝落ちる〟などという言葉を使うのだろう。会話が一件落着した、という明るい意味で使われているのかもしれないけど、私は客が〝落ちる〟を使うといつもの哀《かな》しい気分になる。私はチャットルームにずっといなくてはならない仕事の立場だから、自分からは絶対に落ちることができない。だからいつも人が落ちていくのを見守る側である。「帰って」ゆく人にはまた会えそうな気がするが、「落ちて」いく人にはもう二度と会えないような気がするのは何故だろう。別に、あの客にもう一度会いたい！　なんていう悲愴《ひそう》な情熱はないのだが、それでも共に濃い時間を三〇分くらい共有した人が不意に正気に返り、二人で創り上げた妄想《もうそう》の世界に私を一人置いてぽろりと落ちていく瞬間は、さすがにむなしいものがあるのだ。そして私はそうやって一人の男が落ちた後、入れ替わりでやってきた新しい男と、また自己紹介から始めなきゃいけない。この果てしない一期《いちご》一会《いちえ》は〝落ちる〟をキーワードにして私の目の前で繰り返される。


ある日、客が途絶《とだ》えた合間にコーラを飲んで一服していると、いつもより早い時間にかずよしが学校から帰ってきた。

「お帰り、なんか早いね。」

「家庭訪問週間になったから。」

かずよしはそう答えながら背負っていたランドセルをテーブルの上に置いた。

そして、

「チャットは、順調ですか？」と私を見て聞いた。私は押入れから出した脚をぶらつかせながら自信満々に言った。

「順調。チャットのコツ、分かってきた。あんたが初めに教えてくれたように、やっぱ会話のリズムとか画面に文字を乗せるタイミングとかが一番大事だね。特にチャットセックスする時にはね。長い文を作ろうとせず、きゃっとか、あんとかそういう短い返事をどれだけテンポ良く画面に乗せるか、そこがミソだな。あと『そんな大きいの入らない』とか『ここ噛《か》んでーっ』なんていうあまりにも本物のセックスに近づきすぎている台詞《せりふ》はウケないということも学んだよ。客は、肌と肌のぶつかり合う本当のセックスを疑似《ぎじ》体験したい訳じゃなく、あくまでチャットでのセックスをしたがってるのである。だから無理に二人抱き合っているという高度な妄想の世界を創ろうとするより、〝今までみやびそんなやらしい言葉を返されたことなかったよ〟とか〝興奮しすぎちゃって今パンツびしょぬれ〃みたいに、画面の向こうでもだえている雅、を想像できる言葉を使った方がウケる。」

かずよしは苦笑いして、野田さんもうすっかり夢中ですねと言った。そんなことを話しているうちに客が入室してきたので、私は歓声を上げてまた画面に向かった。

私が初めてセックスというものが世の中にあると知ったのは、なんと幼稚園児の時である。字を読めるようになってから初めに開いた絵本が友だちの家の本棚にあった『あかちゃんどこからくるの？』だったから、その絵本に記されている性の営みとそれに伴う赤ん坊の出産までのいきさつを一気に知った。『ぐりとぐら』の絵本のとなりにあったその本を、同い年の子と額《ひたい》をくっつけあいながら何度も覗《のぞ》いたものだった。しかし当然その内容に恥ずかしさや神秘性を感じられるほど私の精神は発達していた訳がなかったから、その性に初めて触れた時、私はただ笑った。むっちりとした女と男の裸の絵、大きなペニスの絵、夜お月さまの下ですっぽんぽんのまま抱き合っているカップルの絵、そしてその絵の横の言葉〝こうしていると、とてもきもちがよいのです。〟その絵本に載っているもの全てが幼い私たちには滑稽《こっけい》に見えて、私と友だちは絵本を放り投げながら転げて笑った。おとなのくせに、はだかで、だきあって「とてもきもちがよい」だって。私は絵本の中の愛し合うカップルを自分よりバカに感じ、そしてそのカップルをなぜか愛《いと》しくも感じた。あれからセックスへの価値観は成長するに従って目まぐるしく変化していった。まだ本番のセックスを知らない私は些細《ささい》な情報にも振り回され、最近ではエログロを極端に嫌う光一から怪談口調で聞かされた外国の猟奇的《りょうきてき》な性犯罪の話に影響されて、セックスにかなりの警戒心を抱いたりしていた。しかしチャットルームで何人もの盛《サカ》った男と会っていくうちに、それらのセックスに対する先入観はなぜか取り払われていき、浄化していき、そして最後あの幼稚園の時に絵本を見た際にこみ上げてきた純粋なおかしさだけが私の中に残った。ばかみたい。

私は画面を見て言った。

「ねえかずよし、スカトロって何？」

それを聞いたかずよしが驚愕《きようがく》の表情になる。

「今客がね、ミヤビちゃんスカトロの趣味はある？ って書き込んできたの。興味あるなら僕たちの集《つど》いにおいでよ、だって。ねえスカトロって一体何なの？」

「……排泄物《はいせつぶつ》を食べることにエクスタシーを感じる性的嗜好《しこう》のことですよ。」

私はコーラをふきそうになった。はじける炭酸が日の奥を刺激して涙がにじむ。

「排泄物って、うんことかおしっこ？ へえ！ ねえかずよし、それってグルメが極まりすぎた結果なの?」

かずよしはまぶたをマッサージしながら考えこみ、言った。

「うーん、どうなのかなあ。でも、性的快感を求めて彼等は食べるんだから、やっぱりグルメとは違う気がしますね。自分や他人が排泄物を食べている姿にエロチシズムを感じるからこそ食べてみたいのであって、珍味《ちんみ》を味わいたいという心理とは違うんじゃないでしょうか。」

スカトロの儀式がどんなのか想像してみたら、ゆるい吐き気と共に、

「宗教?」

という言葉が口をついて出た。

「ねえかずよし、私エロ療法《りょうほう》っていうのがあったら流行《はや》ると思うんだけど。あんたの悩みなんか、エロのスケールに比べたらちっぽけですよって説いて、癒《いや》すの。」

私は突然思いついてそう言った。かずよしは笑って、

「確かにエッチの知識が増えていくと、その幅広さには何ものもかなわないって思いますすね。闇の部分を知ることによって漠然《ばくぜん》と恐かったものが減って、世の中が狭く、浅くなっていく。」と言った。そして続けて、

「エロの世界は、大人にぶっつけられる前に自分から飛び込んでいったら、恐くないものなんだ。」

と、厳しい声で言った。私は、おおフーゾク小学生エロ哲学を語る！　と叫んで、かずよしに駆け寄り、その猫背《ねこぜ》な背中に体当たりした。かずよしはされるがままになりながら、野田さん長い引きこもり生活のせいで体力あり余ってますねとつぶやいた。

「あんたの猫背は母親譲《ゆず》りね。」

と、ある日かずよしに話しかけたことがあった。

「あと、その妙に静かな眼差《まなざ》しもあのミステリアスなあんたの母さんそっくり。」

「まさか。血ィつながってないのに。」

かずよしは笑って言った。私は人並みにうろたえ、でもすごいそっくりだよ、と幼く言い張った。かずよしは穏《おだ》やかに話した。

「血がつながった僕の本物の母親は、僕が赤ちゃんの時に亡くなってます。それでお父さんが去年の冬に今のお母さんと再婚しました。それをきっかけとして心機一転、引っ越してきたんです。」

「そっか。じゃあかずよしはあのよく変な噂《うわさ》が立って怪しまれる、時季外れの転校生の身分になったんだ。大変だったでしょ。あ、あんたそのストレスが原因でこんな怪しい仕事に走っちゃったわけね。かずよしくんは学校に居場所がないし、新婚さんに挟《はさ》まれた慣れない家庭環境にも耐えられないしで、齢《よわい》一二歳で風俗チャット嬢になりました、と。一見穏やかそうに見える青木家も、一皮むくと病《や》んでるねえ。」

私の言葉をかずよしは笑って否定した。

「そんな、ちがうよー。学校でも新しい友だちできたし、それに、来年入学する予定の中学校にもすごく近くなったから、転校してラッキーと思っています。このマンションも自然多くて気に入ってるし。田舎だけど。」

じゃああんたは生粋《きっすい》の変態ネカマだよと私はこの話題を軽く流して、読んでいる途中だったハリー・ポッターの本にまた目を落とした。しかししばらくした後、かずよしは「でも、一つだけ慣れないことがあるんですよね。」とぽつりつぶやいた。何が？　と私が本から顔を上げずに聞いてあげたら、かずよしは変にはにかみながら、とつとつと喋り始めた。

「新しいお母さんの、かよりさんのことなんだけど。僕、あの人の小さいクセとかを異常に気にしてしまうんです。嫌いじゃないのに。あの人、生理、になると、風呂場の前にパンツと生理用のナプキンの組み合わせを一〇組位、いつもキチンと並べるクセがあるんですよね。そういう、本当に小さい粒々《つぶつぶ》したことを神経質に気にしてしまうんです。〝かずよしくんは弟か妹か、どっちが欲しい？〟って真顔で聞いてきたりするし、そういうのが。」

それを聞いた私は茶化《ちゃか》して、「小姑《こじゅうと》ー。」と言い、それから思いきりのしかめ面をかずよしの方へ向けようとした。が、彼の表情が妙に暗かったので、やめた。

「小姑。本当そうですよね。心が病んでるんでしょうか。」

かずよしはそう言ってソファの上に転がって背を向けた。

小姑というより、もしかしたら、乙女《おとめ》なのかもしれなかった。

客は結局スカトロについての話だけして落ちていき、私はまだ異世界で回り続ける頭を押さえつつ、かずよしの家を後にした。11階の自分の家に帰ると、ドアの前に光一が座っていた。思わずかけ寄る。

「光一、」

光一は私に気づくと、歓声を上げ、あだっぽい仕草《しぐさ》で私に両手を振った。そのひとくせありそうな感じが前と全く変わってなかったので、私は安心して笑った。

「朝子、元気ー？　あんたホントに学校来なくなっちゃったじゃん、何してたのさ？」

「ああー、自分の部屋の物を全部捨てたりとかしてたねえ。」と私は訳ありげな哀愁《あいしゅう》を漂《ただよ》わせながら答えた。光一は目を丸くして言った。

「全部捨てたってあんた、母親に怒られなかったの⁉」

「そうだ、聞いてよー、お母さん私の部屋の異変にまだ気づいてないんだよ。私がいつも部屋に鍵をかけてるのが功を奏《そう》してるのかな。朝から晩まで仕事場にいて、家で過ごす時間が少ないから気づかないっていうのもあると思う。」

「しっかし、いくら忙しいからって子供の部屋に何もないのに気づかない母親は異常だな！」

光一はそう言ってせせら笑った。まったくその通りである。私も、母親がこんなにも長い間私に騙《だま》され続《つづ》けるとは予想してなかった。意外だった。

「それから、ナツコのことなんだけどさ、あいつこの頃〝野田さんの長期欠席をお母様に報告する〟って、ちょっとうるさくなってきてるんだよな。もうやばいかもしれない。あいつも教師だったんだって感じだよな。そうだ、それより何よりあんた、出席日数がやばいじゃんよ、理由なしの欠席がもう四週間続いてるんだからそりゃやばいよ。まああんたは今までに休んだことがなかったから、大丈夫だとは思うけど。でも気づいたら松本さんみたいな留年生になっていたっていうことになっちゃうかもね。」

光一の言葉を聞いて私はあの一学年上からうちのクラスに落っこってきた先輩を鮮明に思い出し、青くなった。松本さん。クラスの女の子達が、敬語を使って話せば良いのか、はたまた普通に同級生として話せば良いのか未《いま》だ迷っている特殊な存在、松本さん。松本さんは少しグレ気味な女子で、そのせいで落ちてきたのだが、事あるごとに「私ダブッたから」という言葉をなぜか誇らしげに私達に言い放つ。留年、という言葉で自分を定義されるのが嫌だから、ダブるというちょっと軽めのシャレた言葉を浸透《しんとう》させようと躍起《やっき》になっているわけだ。その先輩の強がりは青木夫人と同じ「本当の不器用」の類でとても泥臭い。以前学校で、環境破壊に警鐘《けいしょう》を鳴らすビデオをクラス全員で鑑賞し、その後感想文を書くという授業があったのだが、そのみんなが書いた感想文のうちの一つをナッコ先生が褒《ほ》めたことがあった。

「皆さんの書いてくれた昨日のビデオの感想を、いくつか紹介したいと思います。まず一つめ。

〝今日見たビデオは、水洗便所で水を一回流すとバケツ何杯分もの水が使われるとか、くだらない抽象的なことばっか言ってあたしたちを脅《おど》かしていた。そんなデータを出してる暇があるなら勝手に便所の水を一刻も早く減らしたらいいじゃないか。それを強制的と文句つける奴はもういないはずだ。あたしたち、地球が危ないというのはもう十分分かっているから、トイレの水が減るくらい、文句言わずに従う。トイレの水の量はバケツ何杯分、なんて間抜けで呑気《のんき》だと思う。〟という、ね、斬新《ざんしん》な意見ですね。確かに無駄になっている資源の量をトラック何台分などに換算《かんさん》することは、具体的に見えるけど実はとても抽象的な表現で、私達を無駄に困惑させているだけですね。」

　独創的な考えにだらしないほど感心してしまう癖《くせ》を持っているナツコ先生はそう言い、松本さんに向かって柔《やわ》らかに微笑んだ。へえ、この感想は松本さんかと私を含めたクラスメイト全員が意外な気持ちで松本さんに視線を注いだ。するとと松本さんは、うつむき、ぶっきらぼうな仕草でこれ見よがしに煙草《たばこ》を弄《もてあそ》んだ。その松本さん独特の古い強がりに、教室中がしいんとなった。しかもその沈黙をみんながビビってると勘違いをしてしまった感じの松本さんには、私達、ますます閉口の状態だった。髪をびっくりするようなオレンジ色に染めてきたり、昔の仲間をわざわざ呼んできて先生に刃向《はむ》かったり、そのクセ単位を取るためにセッセと毎日学校にくる、いじましい松本さん。先輩のその卑屈《ひくつ》さを光一と私は散々《さんざん》バカにしたけど、今自分が留年するかもしれないという立場になって、やっと先輩の必死の防御の気持ちが分かり、私は頭を抱えたい気持ちだった。私だって留年したらきっと松本さんと同じようにつっぱってしまうだろう。自分が間違っていたなんて絶対認めたくない。そのためには自分のスタイルに根拠《こんきょ》のない自信を持ち続けなければ生きていけない。たとえその滑稽さに内心気づいていたとしても。

「受ける大学決まった?」

光一にそう聞くと、彼は、「早稲田。宇多田ヒカルがおれを焦《あせ》らすんだ!」と意気込んだ。宇多田ならコロンビア大に行ったと思うのだが、でも邪魔くさいので注意せずに、早稲田大について勢いよく話す光一を、笑いながら見ていた。

新世界突入!

安藤∨なんだみやびさんスカトロ趣味ないの
でもノーマルな娘《こ》のを飲むのも（笑）なんちゃって
みやび∨ねね、いつ自分がそーいうのに感じるって気づいたんですか？
安藤∨いつ？　いつも何も、いろんなもん一気に試して一番恍惚《こうこつ》できたのがコレ

聖璽と書いて、セイジと読ませるつもりらしかった。チャットネームである。こういう風変わりなチャットネームをつける人は、自分をキャラクター化している傾向が強い。新しい自分をネットの中で創造し、それになりきって電脳世界を永く彷徨《さまよ》う。こういうタイプはプライドを持っているから、しょっぱなからH会話をしたら憤慨してしまう。だからとりあえず自己紹介からゆうるりと始めようと、真昼の一時に聖璽が入室してきた時、私は決めた。聖璽さん何

歳？　などと打ち込みながらも、私は、彼は学生だろうとなんとなく感じていた。すると聖璽から予想外の言葉が返ってきた。

聖璽＞昨日浪人生だって、君に教えたばかりじゃないか。僕はお初《はつ》じゃないよ雅。

初めてではない？　私は首をかしげた。聖璽を昨日相手した覚えはまるでなかった。大半の人は漢字変換さえもどかしいのか、全ひらがなの幼稚園児みたいな名前で入室してくるから、その中にこんな複雑な漢字のチャットネームがやってきたら忘れられるわけがないのだが。ああ、と私はすぐ気づいた。おそらく昨日彼の相手をしたのはもう一人の雅、つまりかずよしなのだ。そう確信した私は少し冷や汗をかいたが、割に冷静に対処を考えた。実はこういう事態に出くわしたことは今までに何度もあったのだ。このようにかずよしとチャットした人がもう一度昼の私の時間帯に来たり、その反対で私の客がかずよしの番の時間帯に来て話の続きをし始めたりしてしまうことは、一度や二度ではなかった。しかしいつでも私達はうまくごまかしてやり過ごしてきた。なんと本物の雅さんまでもがチャットから流れて店へ来た客に、自分はチャットをしている雅、ではないというのを見抜かれずに済んでいるという。かずよし宛に送られてきたメールにそう記してあった。なぜ客が、雅は実は三人だ、ということに気づかないかというと、一つは雅がバカキャラだからである。忘れちゃった〜の一言で全て済んでしまうこのおとぼけのキャラクターは便利で、客だってそこが可愛いと思っている節《ふし》があるからそれ以上つっこんで来たりはしない。そして次の理由として、結局、雅――チャット上のみやびもお店の雅さんも、どの客との関係も根っこはエロにつながっているという所にある。多少強引にでもてっとり早くその根っこに話題を持っていけば、客の理性は飛んで、簡単に疑いは頭の中から消えてしまうのだ。有料会話なので客も早くHな方面へ話を持っていった方が喜ぶ。

そんな今までの経験で学んできたハウツーを私は聖璽にも使用しようと考え、〝あなたのこと忘れちゃったあ、昨日みやびをどういうふうにいぢめてくれたか教えてくれたら思い出すかもしんない＊＊〟という名文をひねり出し、画面に乗せた。そして私は聖璽がすぐに食いついてくることを少しも疑わずゆったりコーラを口に運んだりなんかしていたが、次に浮かび上がってきた聖璽からの言葉を見てにわかに焦った。

聖璽∨何だよその白痴《はくち》の文体は。雅、いい加減ふざけるのはやめてくれ。

ミスってしまったのだ。私はあの〝チャットネームに漢字濫用《らんよう》している人間は唐突《とうとつ》エロが嫌い〟という法則を忘れてしまっていた。彼らが堪能《たんのう》したい遊戯は高等な言葉嬲《なぶ》りである。早く軌道《きどう》修正をしなければと思い、聖璽が望んでいると思われるまともな文章をひねり出そうとしたが、浮かれた文体を使い慣れているせいで、私の頭はすぐ対応できずこんぐらかった。どうしても雅口調で物を考えてしまい、しかも昨日聖璽の会った雅が私ではないことをごまかさなくてはいけないのも考慮《こうりよ》するとなると、いよいよ私の脳ミソは泡立つばかり、勉強から長く離れているせいで思考回路が鈍《にぶ》り切《き》っているのだ。ええいと私は投げやりになった。聖璽を怒らせて、そして自ら退室してもらおう。見栄っ張りな客が一人減るだけだ。そうしよう、と決めてしまって、文体を少しも変えずにキーをかたかた打った。

みやび＞やーんごめんね、みやびホントに聖璽くんのこと思い出せない

聖璽＞じゃあお前は雅じゃないな。雅が昨日の僕との会話を忘れる訳がない。

聖璽＞今お前は動揺しているな。やはり、お前は偽者《にせもの》だ　本物の雅を出せ

あの清潔な雅を！

私はチャット嬢失格の無言攻撃で聖璽が退室するのを待つことにした。が、聖璽はよほど昨日の雅に会いたいようで、必死で一人文章を送り込み続け、なかなか諦《あきら》めない。次第に聖璽の言葉は熱を帯びてきて、昨日の雅を出せ、お前は薄汚い！　などと悪口雑言《あっこうぞうごん》を撒《ま》き散《ち》らすようになった。

そして画面にお前は誰だの文字が三回並んだ時、辛抱《しんぼう》しきれなくなった私は聖璽に冷淡な言葉を送った。

みやび＞営業妨害なんですけど〜。

静寂《せいじゃく》が流れる。私はコンピューターの出す小さな掠《かす》れた音に耳を澄ませながら、お客様のお帰りを待った。やがて文字が浮かび上がる。

聖璽＞いいだろう。望み通り出て行ってやる。ただしお前が僕のホームページにアクセスしてからだ。この文字の上をクリックしろ。

http://…

うさん臭い、と私は思った。コーラを飲み干しながら、聖璽の私に対する呪《じゅ》詛《そ》の言葉がまだ残っている画面を眺める。これほどの怒りがホームページを覗いてもらっただけでおさまる訳がない。何かあるとにらんだ私はその指定された文字をクリックせず、言葉も打ち込まず、聖璽を放ったらかしにしておいた。聖璽は不気味にアドレスだけを何回も書き込んだ後、突然ふっと退室した。

このことを話すとかずよしは厳しい顔つきになった。そうか、聖璽君がまた来たのかとうなずいていた。かずよしの話によると聖璽はやはりかずよしの客で、昨日の午後三時にチャットルームを訪れて、そのままノンストップで夕方の六時までルームを独占していたそうだ。計三時間もかずよし操縦の雅と話していたのなら、忘れられるはずはないと彼が自信を持つのも当然である。私は聖璽の本気さを知って、今日の自分の態度をちょっと反省した。

「もう聖璽君来ないと思うけど、もし来ても彼のホームページには行かないで下さい。そのアドレスに飛んだ瞬間仕掛けてあるコンピューターウイルスに感染してしまうかもしれないから。」

かずよしは浮かぬ顔で私にそう忠告した。

しかし、かずよしの予想は外れ、次の日、聖璽はめげずに再びやってきた。私が入室するよりも早い、朝の八時から入室者の欄に自分のあの寒い漢字の名前を光らせて、むっつりと入室していた。一番乗りを狙《ねら》っての行動だ。もちろん彼のその待機時間の間にも金は確実に落ちている。こいつ大馬鹿者だと私はそんな聖璽を見下《みくだ》してみたが、心苦しく、なぜかかずよしに嫉妬《しっと》した。そして後ろめたい気持ちを伴いつつ、いつもの源氏名、みやびで入室した。活字の会話が始まる。

みやび∨お早う

聖璽＞君は本物の方の雅か？

みやび＞そう。そうよ、疑わないで。

聖璽＞じゃあ僕と交した数々の会話を覚えているか
その尋問《じんもん》のせいで指の先が少し緊張した。頭がショートしてしまい、正直に、私は偽者ですごめんなさい、と謝りたい気持ちでいっぱいになった。聖璽にだけ、実は雅は三人いることを話す。そしてこれからはかずよしが担当している午後の時間帯にここに訪れてもらうよう、お願いするのだ。そんな一番妥当《だとう》な解決策が思い浮かんだが、私は、なんとか騙し通せないかというギャンブラーな考えを改めようとしなかった。押入れ生活ももう長く、刺激と腕だめしの機会を私は求めていた。私は続けて言葉を書き込んだ。

みやび＞覚えてるよ、三時から六時までずっと聖璽とだけ話していたんだから。

聖璽＞そうか、覚えているか
みやび＞覚えてるわよ　当り前よ。
聖璽＞そうか　昨日お前の名を騙《かた》る哀しい女に会ったんだ。でもこれで僕は安堵《あんど》した。
みやび＞そう、良かった。
聖璽＞今日もあの時の話の続きをしよう。僕はあの時、激情にまかせて君にある言葉を贈ったね。雅、どんな言葉だったか僕に答えてくれ
ぎくりとした。また探られている。私は何か書き込もうとしたが、それは無駄なあがきだった。聖璽とかずよしとの間で交された言葉など知る訳がないのだ。私は聖璽の意地悪さを憎んだ。そして、かなりの静寂の後、またあの文字が浮かんだ。
聖璽＞お前は誰だ。

私だって人を欺《あざむ》くのは悪いって分かってるけど。

私の土下座姿を、かずよしは帰ってくるなり笑った。

「ははは、すごい眺め。」

私は仏頂面《ぶっちょうづら》で言った。

「カリスマチャット嬢様、お客があなたを求めてやみません。どんな話術で聖璽さんを魅了なすったのか知りませんが、とにかく今日は私あなたのお側《そば》についてあなたのその華麗なる手管《てくだ》を学ばせて頂《いただ》きたいと願っております。さあ、早くあのコンピューターどうにかして。」

頭を深々と下げ、私は敗北のポーズを取る。なんでそんなに卑屈になるのとかずよしは気味悪がった。

「画面見れば分かるわよ。」と私はへこたれて言った。

聖璽は私を偽モノだと再び見破った後、また罵詈《ばり》雑言《ぞうごん》を活字でぶっつけてきた。そしてたまらなくなった私が逆上し悪口を返して応戦すると、彼は私の性格をどんどん見抜いていき、光一よりももっとひどい言葉で私を批判した。そしてそれはことごとく当たっていた。お前ひとりっこだろう、友達少ないだろう、処女だろう、的確に当てていき、そして最終的に彼は、私が高校生ということまで見抜いてしまったのだ。

「ねえかずよし、私っていう人間はチャット越しで話しただけの人にもバレてしまうほど、くだらなさが溢《あふ》れている人間でしょうか。」

かずよしは、聖璽君にきついこと言われたんだね、ごめんなさい、と何故か代わりに謝ってため息をついた。かずよしは押入れによじ登り、私もそれに続く。コンピューターの画面は私のいない間に様変わりしていて、今や聖璽のホームページアドレスだけを延々と映し出していた。何がなんでもウイルスアドレスにアクセスさせるつもりらしい。画面を見てかずよしはため息をつき、それから少し姿勢を正してキーボードを叩き始めた。

みやび＞聖璽、雅だよ

英小文字ばかり並ぶ画面にかずよしのその言葉がぱっと光った。私とかずよしは、聖璽の返答を息をひそめて待つ。しかしやはり画面には先程から続いているあの見慣れたアドレスがリロードされた。私は苛立《いらだ》って唸《うな》ったがかずよしは何も言わずにキーを叩き続けた。

みやび＞私は本物よ、大丈夫、信じて。

聖璽＞http://…

聖璽＞http://…

みやび＞聖璽、あなたこの前私にあんな高尚《こうしょう》なこと説いたくせに、自分は随分陰険《いんけん》なことするのね。

画面が動かなくなった。聖璽がこちらの様子を窺《うかが》っているのだ。私は興奮気味に言った。

「かずよし、この前こいつから贈られたっていう言葉をいれて。さっきからそればっかり聞いてくるの、その言葉で雅を本物かどうか判断するつもりらしいの。ねえ覚えてる？　聖璽から贈られた言葉って。」

「覚えてる。」

かずよしはそう答えるとキーを叩いた。画面に文字がリロードされる。

みやび∨あなたからの言葉、「死んでも人のおもちゃになるな。」

「こいつ、そんな生意気なこと言ったの！」

私は画面に現われた文字を見て、声を上げて笑った。かずよしは私に合わせて一応笑ったが、

「おかしいね。本当に僕相手に真剣なんて。」と暗い調子で言った。

聖璽＞ああ！　君は本物の雅なんだね！　今度こそ、今度こそそうだろ⁉

僕が、鏡花《きょうか》のあの言葉を捧げた、雅。

みやび＞そうよ、あなた自身の堕落論《だらくろん》について延々聞いてあげた雅よ、浪人さん。

聖璽＞雅、僕はやっと安堵したよ。

みやび＞あなたに言われるまでもなく、私は人のおもちゃじゃないわ。こんな職についていても。

聖璽＞あ、雅、僕は分かっているさ。決してこの言葉に軽蔑《けいべつ》の意味はないんだ。ただこの横で光る君の写真を、苦しく思っているだけさ。君を本気で好《す》いているのだ。

「むなしくなってきた?」

私は冴《さ》えない顔をしてキーボードを叩いているかずよしに何気なく聞いてみ

た。かずよしは笑いながら、そんなんじゃないと否定した。でも彼の顔には明らかに疲労の色が表われていた。

「むなしいわけじゃないけど、毎日沢山の人達と流れるようにチャットして、どんどん無感覚になってきて、それで突然こういうふうに流れを止める人に会うと、ああ、僕って人間を相手にしてたって気づいてしまいますよね。それに戸惑ってしまうんですよね。うーん、僕は心が病んでるかな？」


聖璽＞雅、君に会えて良かったよ。

ああ、もしかしたら僕は君の職業に惚《ほ》れてしまったのかもしれない、子を授《さず》かった売春婦という、哀しいマリヤ像に。

君に会えて良かった。

みやび＞聖璽、今度からは午後の時間帯に来て。

聖璽∨ああ雅　僕はもう嫌だ　もう来ない　一度裏切られたから
さよなら
落ちるよ

昼、チャットの客足が途絶えたのでその隙《すき》にラーメンでも食べようと思いついた私は、自分の家へ一旦《いったん》帰ることを決めた。青木家と野田家の二つ分の鍵をちゃりちゃりいわせながら廊下を歩き、エレベーターに乗る。運動不足の身体は気怠い眠気の中をのろく泳いで、私は半ば目を閉じながら日当りの良い11階の廊下を渡った。鼻歌をうたいながら自分の部屋のドアを開けた。その中を覗いた瞬間、夢見心地の気分が吹っ飛んだ。部屋で、母が昼寝している。とっさに時計を見る、一一時である。加えて今日は平日だ。母が、もちろん私もだが、ここにいるのはおかしい時間帯だ。その上母が今寝ているこの部屋は、私がずっと母から隠していた全ての物を捨ててしまったあの何もない部屋なのである。

私がドアの前で呆然《ぼうぜん》と立ち尽くしていると、薄いタオルケットを身体にかけて眠っている母が寝返りをうった。タオルケットからはみ出た皮膚の張りがない足首と、一本のまっすぐなしわが深く刻み込まれている額を見て、私は初めて母親が年をとったことに気づき、すごく慌てた。思わずしゃがんでその疲れた顔を見ていたら、母がまぶたを閉じたまま声を出した。

「朝子？」

「そうよ。お母さん、どうして今頃の時間にこの部屋で寝てるの？」

私の声は緊張して冷たかった。母はやはり目をつむったまま言った。

「今日はひどい頭痛がしたから会社を休んだの。そして何故ここで寝ているのかっていうと、頭痛がする時はがらんどうの部屋で眠るのが一番気持ち良いからよ。何もない部屋というのは普段は寒くて異常で使い道がないけど、その分清潔だからこんなふうに寝転がるには最も適した場所だわ。」

私は固まった声のままで言った。

「そうじゃないでしょ、すっからかんになった娘の部屋を見て、ここで寝るのが良いわって、それは違うでしょ。もっと、」

心配してよ、という言葉を言いかけて飲み込んだ。雰囲気に流されてはいけない。私は母にかまってほしいわけではない。なぜだか怒りが湧《わ》いてきて私は母を挑発《ちょうはつ》した。

「お母さん、いいの？　私本当に何もかも捨てちゃったんだよ。お母さんがおばあちゃんの代から受け継いだあのピアノも、業者に無料であげてしまったんだよ。今あれは老人ホームの遊び道具として大活躍だって、それで机は、」そ
の時母が二重の目をがっちり開き怒声《どせい》を発した。

「部屋のことなんかどうでもいいのよ！　自分の学校のこと考えようと思わないの⁉」

私は驚いて言った。

「お母さん、私が学校行ってないことも知ってたの⁉」

母は荒々しく寝返りをうち、言った。

「あんたの担任の先生が昨日泣きながら電話してきて知らせてくれたわよ。ぐだぐだ、泣いて。あんな人教師失格だわ、私生理的に受けつけないわ。」

母の背中を見て、はっとした。震えている、泣いているのだ。私は思わずのけぞった。母は小さく言った。

「いじめられてたの？」

私は猛スピードで家を出て、何かから逃げ切りたい一心でマンションの廊下を走った。母が泣くなんて、まるで怪談で、顔面の筋肉が凍《こお》りつく。着いた所はかずよしの家の前だった。ポケットから鍵を取りだしもどかしい気持ちで鍵穴にそれを差し込んでいると、なんとも嫌な予感がして、横を見た。右の廊下の角の消火器コーナーの所に、青木夫人が横にスーパーの袋を置いて、隠れるように座っていた。彼女はコーナーにぴたっとはまりこみ、ひっそりとこちらを見ていた。今日はこういう日なんだ、と私は降参した。今日はこういう日、お母さん大登場の日。

「鍵。」

青木さんは両手で頬杖《ほおづえ》をつき、長い髪を風に流されながら、一言そう言った。私はその言葉を聞いて汗がにじんでいる掌《てのひら》で握りしめていた鍵を、不思議な感覚で見つめた。確かにこの鍵は私のものではない。そしてこれを使って今開けようとしている平和な家も全然私のものではない。しかし、この家には賢い小

学生が私のためにこしらえてくれた小さな居場所が存在する。から、

「これは」私は言った。

「これはあなたの鍵です、でも私のでもあるんです。」

「そうね、一ヵ月間使い続けていらした鍵だものね。」

私は力が抜けて座り込み、青木さんと同じ目線の高さになった。どっちのお母さんにもバレていたのだ。そう分かると気が抜けて私とかずよしが随分滑稽に思われた。

「どうやって私がここに通ってること……」

「コーラ。夫もかずよしも炭酸を飲むことはできません。私だけが、飲みます。でも私の飲んだ覚えのない缶が転がっているのを見たから、それでおかしいなと思いました。それだけ。その後、会社を今日のように休んで今と同じ位置に隠れていたら、あなたが家に入ってゆくのを見て、そしてそれから数時間後、

あなたがかずよしに見送られて帰ってゆくのを見ました。」

私は毎日おいしく飲んだ青木家の冷蔵庫のコーラの味を思い出した。喉《のど》の奥で爽快《そうかい》にはじける甘い炭酸、あれが私の存在を意味していたとは。

「電線――呼び名が間違っているかもしれないけれど、あれらが押入れからコンセントへ延びているのも見つけたわ。あなたが関係してると思って、その異変に気づいていたけど、中は見なかった。押入れ。かずよし。あなた。」

青木さんは私と視線を合わせずに少し震えた声で言った。その表情は年不相応なほど可憐《かれん》で、張り詰めていた。私はまだまだ強がって、重々しい口調で弁解した。

「青木さんの考えは当たっています、私は青木さんちの押入れの中で沢山の時間を過ごさせてもらっています。でも私はそこでやましいことは決して……してますが、かずよしくんが困るようなことはしてません。」

「私は」青木さんは蒼白《そうはく》の顔で言った。

「かずよしがあなたといる時楽しいのならそれで良いんです。」

青木さんは食料の入ったスーパーの袋を私に無言で託して、立ち去っていった。

私は青木の家に入りスーパーの袋を置いた後、混乱してただうろうろしていた。落ち着こうと思い、部屋にこもった熱気を追い出すために窓を開けてみる。外の涼しい風と、マンションならではの密度の濃い熱気が部屋の中でぶつかりあって、頭上でくるくる混ざり合った。久々に生身《なまみ》の人間から受けたショックのせいで、大いによろけながら台所へ入る。そして冷蔵庫を開けいつものようにコーラを取り出そうとしたが、先程の青木夫人の話を思い出し、伸ばしかけた手を引っ込めた。よく考えれば青木夫人は得体の知れない女である私のために一ヵ月間コーラを買い続けてくれたのだ、私は彼女に何もしてあげてないのに。何かお返しできることはないか。台所を見回すと、コンロの上の鍋《なべ》の中に中途半端に残っているなめこ汁を見つけたので、それを食べ切ってあげることにした。一杯の水と冷たいままのなめこ汁を注いだお椀《わん》を持って、私は一番風通しの良いベランダへ向かった。数本の長い毛がからまった綿ぼこりが点在しているその乾いたコンクリートの上に座ったら、その尻の感触でゴミ捨て場で呆然と座り込んでいた時のことを思い出した。私は今もあの時と同じように呆然としている。何が変わった？

うつろな眼で空を見た。すると目の端《はし》で鮮やかな色のものがちらちら光っていたのでそこに視線を移した。その太陽を反射している光り物の正体は、つってある派手なキャロット色のブラジャーだった。ベランダのすすけた壁と、ありふれた日本の淡い昼景色のなかでそれは異様に目立っており、毒きのこのような雰囲気である。あの青木夫人は派手なパンツははけないくせにブラなら平気なのかと思うと脱力で、強烈なだるい眠気が私のまぶたにのしかかってきた。くだらない。でも悪気はないにしろ、この派手なブラジャーに苦しめられて逆上、幼いながらエロの世界に足を踏み入れた人だっているのだから無神経にこんなブラをつけていてはいけない。やっぱり、不器用は罪なのだ。同情という言葉で彼らに甘えて、安心していてはいけないと思った。そんなことを考えていたら、「ただいま。」という声と共にかずよしが姿を現わした。おう、とだるく手を上げてそれに答えると、かずよしはこちらをちらと見た後、すぐに和室にひっこんだ。その小学生ならではの素早い動作に感心してから私はもう一度前に向き直って、空を見た。白く濁《にご》った、熱く甘い夏を含んだ雲が流れている。そして私の横で風を受けて虚《うつ》ろにそよいでいる、橙色《だいだいいろ》のブラジャー。

何が変わった？　何も変わらない、私は未だ無個性のろくでなし。ただ、今私は人間に会いたいと感じている。昔からの私を知っていて、そしてすぐに行き過ぎてしまわない、生身の人間達に沢山会って、その人達を大切にしたいと思った。忘れていた真面目な本能が体の奥でくすぶっていた。

和室を覗くとかずよしが立ったまま茶封筒に入っている金を数えていた。

「三〇万です。」

数え終わったかずよしは嬉しそうな声で私にそう言った。

「何が？」

「給料、僕達が風俗チャットで働いた分の給料です。今朝、学校へ行く前に廊下で雅さんと会って、直接この給料袋を手渡してもらったんです。Eメールで約束した通りにね。それでね、待ち合わせ場所に子供が来たことに日を丸くしている雅さんに〝実はかなこは僕なんです。〟って白状したんですよ。そしたら雅さん大笑いして〝ネカマの予感はしてた、こんな子供だとは思わなかったけど！〟って言いました。やっぱり文字だけのつながりと思って騙していても、鋭い人には、性別とかバレてしまうんですね。」

私は押入れに腰掛けて封筒の中の三〇万円を見た。全てピン札だった。私は大学入試に備えての勉強、または大学入試に全然関係ない家庭科の授業や、体育のマラソン二キロに費やしてきた時間と体力を全部労働力につぎ込んだら、これ程の金が儲かるのか、としみじみ驚いた。

「雅さんどんな人だった？」

私がそう聞くと、かずよしは押入れにとび乗り、私の隣に座って言った。

「普通の人でした。小柄でポロシャツ着て、ノーメイク。笑い声がからからしてて、うん意外だった。普通。」

「そんなもんだよ、だって一ヵ月に一五万稼ぐ小学生だってこんなに普通に学校通ってるんだから。それよりいい加減そのでっかいランドセルを肩から下ろしてよ、邪魔なんだけど。」

かずよしはまだ自分の背中に乗っかったままのランドセルを目を見開いて見つめ、急いで畳《たたみ》の上に放り出した。どうやら彼は彼なりに興奮しているようだ。私はいつもと違って年相応に生き生きしているかずよしをからかってみたくなり、三〇万円を封筒から出し、それを図書券をあげる時やったのと同じようにかずよしのフードの中にねじこんだ。するとかずよしは金を取り出そうと慌《あわ》てて、フードをひっくり返してしまい、また金を浴びた。万札がひらひら舞って落ち、豪華で、私は手を叩いて喜んだ。

「野田さん、お金で遊ばないで下さい。三〇万円ですよ?」

かずよしは服の中に入りこんでしまったお金を引っぱりだしながら言った。

「これでいいんだよ、お金なんて無造作《むぞうさ》に扱って、万札三〇枚のうち一枚なくなっても〝しゃらくせぇ〟って言って軽く流すくらいがちょうどいいのよ。」

私はそう言ってスッとした。もう全部無価値だ、時間も若さも金も。

かずよしは少し考えた後で、「……しゃらくせぇ。」と言って金を拾うのをやめた。「よし、合格！」と私が元気な声で言うと、かずよしはため息をつき、その後手持ちぶさたになったのか、コンピューターの電源を入れた。ジャーン！　という起動音がいきなり押入れの中で木霊《こだま》し、私はびっくりした。しかしかずよしは動じず、私に不自然に背を向けたまま画面の光を見つめる。〝これをもってチャット嬢という奇妙なバイトは終了しました〟と私に言いだせないのだ。でも私は雅さんからのメールを盗み読みしていたから知っている、給料をもらった時点で私達の風俗バイトは終了だということを。雅さんは、私もう風俗嬢をやめて子育てに専念するから今までありがとー、とメールに素《そ》っ気《け》なく書き残していた。

「あんた、青木夫人に〝僕男の子の赤ちゃん欲しいな〟って言えるようになった?」

とかずよしに聞くと、彼は、それはなあとごまかしてコンピューターの前に向き直った。

「努力しなさいよ。私も学校行くから。何も変われてないけど。」

かずよしは驚いた顔をして私を見つめ、そのまま、おめでとうと言った。そしてしばらく複雑な表情でコンピューターの画面を見つめていたが、ふと思いついたように言った。

「そうだ、親にバレる前にこの現金を品物に代えちゃいませんか。」

かずよしはキーを叩き始めた。

「ネットのオンラインショップで何か買うとか。あっタイムマシンなんていうのがオークションに出てますよ、九万円。」

「また変なロマン追いかけてる。ね、それより机とか扇風機とかバガボンドとか売ってない？」

私は強い光を放っている画面を覗き込んだ。

You can keep it.

「あいつ、やたらくれるな」

保志《ほし》が腕時計をつけると、細い革ベルトの華奢《きゃしゃ》な時計は腕にめり込み太い手首を締《し》めつけて今にもはじけ飛びそうになった。

「返した方がいいよ、あの人の方がよく似合ってた」

そう言う三芳《みよし》もつい最近もらった香水をつけてきている。城島《じょうじま》くん今日つけてる香水いい匂いと言ったら、気に入ったならあげると言われて内心喜んだのに、ああでもこれは男物だから三芳さんはつけないかと付け加えられて、いい匂いに男も女も無いよ、うっとりするのはどちらも同じじゃないかな〜と熱心に言ったら、次の日香水瓶ごとくれたのだ。ほとんど新品だった。

「おもしろいよな、褒《ほ》めただけでくれるなんて。こんな事して、あいつに何の得があるんだ?」

「さあね」

大学入学して一ヵ月後に早々に開かれた高校の同窓会で、酒を多量に摂取した城島は、居酒屋にいる級友たちに、大きな声で話し始めた。
「なあ君ら覚えているか。俺みんなに何かと物をやっていた。木村には通学の自転車をやったし、原さんにはバイオリンをあげた。原さん覚えてる?」
酔ったとき特有のおでこの上半分が赤く染まった顔を向けられた原さんは
「うん。でも私が、ねだったわけじゃなかったよね。〝高校生になってからでは遅いかもしれないけれど、バイオリンを始めたいな〟って友達に話していたら、あんたが割り込んできて〝俺小学生までバイオリンやっていたけれどもう止めたからあげるよ〟って、返事も聞かず次の日に学校へ持ってきたんでしょ」

原さんは城島にというより元同級生を意識してしゃべった。城島は理解しているのかいないのか、ただ酔った目つきだ。

「あれさ、今言うけどさ。ただ親切心であげていたわけじゃないんだ。そこまで俺はお人よしじゃない」

原さんは不安げに頷《うなず》く。

「物を撒《ま》くと人の心には芽が出るんだ——喜びと警戒で頭を重くした双葉がね、それでその双葉の鉢《はち》を抱えて人は俺としゃべるわけだけど、両手のふさがった奴なんかに俺が負けるわけないのさ」

ろれつの回らない上《うわ》ずった声は、騒がしかった酒の席を嫌なふうに静まらせた。チッ胸くそ悪い奴という誰かの呟《つぶや》きだけ残して話題は自然に違う方向へすり替わった。城島のとなりに座る彼の親友だけが苦笑いして、

「もしかしてお前大学でもそれやってるの？　もうしなくても良いんじゃないか」

「そうかね」

なんとなく迷って城島は考え込む、が、大学の門近くで、ハチミツを与えた熊のように時計を喜んで受け取った、自分より一回り大きい保志の笑顔を思い出して、やっぱり自分のやり方は間違っていないと決めた。実際このやり方を続けてきた自分は今まで一度もいじめられたことがない。

いじめなどなかったのではないか？　こうやって同窓会開けば皆集まってお酒を飲んで昔の思い出をはしゃいで喋《しゃべ》る陽気なクラスメイトたち、城島の過剰防衛だったのではないか？　いや、そうじゃない。教室の隅で自分と同じくら

い身体の小さかった、痛めつけられて泣くたびに女子にも男子にも気持ち悪がられていたあの子は、同窓会に来ていないじゃないか。

初めてあげた物は何だったか。そうだ、キーホルダーにもなるミニ・テトリスゲームだった。あの頃に比べて今は金が要《い》る。

金をどこで得ているかと言えば、週四日の家庭教師のアルバイトだけど、遊びに行ったり飲み会に出たりしないから結構貯《た》まる。こまごました物を休日に買い集めては身に付けて大学を歩く。

キャンパスを歩いていると、三芳と連れ立っていた保志に城島は呼び止められた。

「あっそのベルト、俺のマークが入ってる！　保志ってさ」

城島は星形の鋲《びょう》が打ち込まれているスタッズベルトを抜いた。三芳はため息をつく。

「情けない……盗賊だよ、あんたのしている事は」

「なんだぁ、自分だってもらっていたくせに」

「シルバーのネックレスと香水だけでしょ」

〝だけ〟の部分が、城島のことを意識して声が小さくなった。どちらもかなり高価なものだった。城島は余裕で、

「そうだ三芳さん、同じクラスに沢綾香《さわあやか》って子がいるだろ。友達だったりしないか」

「よく話すよ、けど友達じゃないね。見れば分かるでしょ、お互い全然違うタイプだもん」

三芳は肉付きの良い身体つきで、ピンかなにかで前髪を上げておでこを全部

見せ、長い髪にパーマをかけている。細かいうねりを強調させるため髪を濡《ぬ》れ気味にしているパーマの子もいるが、彼女の髪はダイナミックにうねっていて、ふさふさと乾いていた。桃色のTシャツに入った英字のロゴは張り出した胸によって大きく引き伸ばされている。遠くからでも見つけられる。綾香はそうではない。

「じゃあ機会があったらでいいから、取り持ってくれないか。君は顔が広いだろ」

「やだよ、なんで私が」

「感謝の気持ちを見せてくれたっていいじゃないか、保志を情けないって言ってるだけじゃなくてさ」

三芳は鼻にしわを寄せて「交換条件みたい」と呟いたが「別にいいけど」と付け足して、ベルトをさっそく着けようとしている保志の腕をつかんで去っていった。三芳の首の後ろからあの香りをかぎつけ、城島はにやりとする。

オーストラリアからの転校生は日本の言葉が分からないので算数の授業だけしか参加できなかったが、賢《かしこ》い子で計算が速く正確だった。しかしどこからどう見ても外国人だったので、こりゃいじめられるんじゃないかなと小学生の城島はなんとなく恐い気持ちで彼を遠くから見ていたのだが、やっぱり、初めこそ遠くから見ているだけだったクラスの生徒は、次の日にはもう、何か転校生がアクションを起こす度に笑い転げていた。城島は英語教室に通っていたことを理由に転校生に話しかけろと命令された。

彼の席に近づくと目が合って、薄茶の虹彩《こうさい》の奥にある黒い瞳《ひとみ》、その奥行きに吸い込まれそうになったので慌《あわ》てて目を逸《そ》らして、オーストラリア製の他愛《たわい》ない鉛筆をつまんで、〝オー、イッツクール、ソーキュート〟と発音を大げさに

して褒めたら、クラスの生徒たちは笑いはじけたが、

「Really? Well, th.s you can keep it.」

何を言っているのか分からなくて城島は凍《こお》りついた。しかし転校生に鉛筆を渡されて、後ろの子もheyと呼びつけて筆箱から鉛筆を一本一本抜いて（筆箱は日本製で小学校低学年が持つようなアニメ絵入りだった）渡していくのを見て意味が分かった。

「くれるのか」

きれいに削《けず》られて黒鉛がとんとんに尖《とが》った鉛筆が良いものに見えて、皆純粋に欲しくなり、手渡されると返さなかった。もらったどの子も礼を言わなかったが空気は和《なご》んでいた。

悪意に満ちていたものが波打ちながらさっと白へ変わっていくのは爽快《そうかい》だった。しかも有利だ、と城島は興奮して学んだ。またからかいは始まったが前ほ

どの鮮やかさは無かった。もらった鉛筆を「なんだ、こんなの」と彼の目の前で折ることで彼を傷つける方法をクラスの奴らが思いつく前に、彼はまた転校してしまった。また一つ学んで興奮した。

あげること、そしてすぐ去ること。


入学したての頃は同じクラスの人間と行動していたけれど、今は一人で食堂に行く。そのうち昼飯ごとに自分の家へ帰るようになり、午後の授業に出なくなり、大学へ来る回数は減っていった。五月はとっくに過ぎたがまだ五月病だ。生活に占める大学の割合が少なくなるにつれて、ますます街を歩き回りつまらないものを買い込む量が増えた。地下鉄のパスカードを集め始めた。

もうこれで大学へ行くのは最後にしよう。嘘《うそ》。明日も明後日《あさって》もきっととりあえず行くだろうけれど、今日も行かなければ単位が来ない。景気づけのために、南の国の美味《おい》しい果物や世の中の楽しいことを全部集めてから木陰で昼寝を始めたような、幸福なレモン色の麻のシャツを着て、食堂のテラスで昼飯を載《の》せたトレイを持って空席を探していると肩を叩《たた》かれた。まただ、最近話しかけてくると言えば、こいつしかいない。ピザ生地《きじ》で一番薄いクリスピークラストぐらい薄く磨《す》り減《へ》った靴を履《は》いている、保志だ。

「おっす。なんかいいシャツ着てる奴がいる〜と思って近づいたんだよ、そしたらお前だったよ。それアロハなのか？　俺も欲しいな、そういうの」言ったあと保志はちょっと戸惑った。さすがにシャツをねだるのは良くないと感じたようだ。

「じゃあ、あげるよ。これ昨日買ったばかりで新品だし、サイズも大丈夫だろ。俺には少し大きめだったから」

城島は久しぶりに大学の友達に話しかけられたせいで声が上ずって近くにテ

ーブルが無かったので、ご飯（小）とほうれん草を敷いた巣ごもり玉子と白身魚のフライの載ったトレイを地面に置くと、さっとボタンを外しシャツを脱いで保志に渡した。保志はありがとうを言う前に城島の意外なくらい貧弱な上半身に目を奪《うば》われた。

「冷房で冷えたとき用に上着持ってきてあるから……ほら、これを着るから」鞄《かばん》からパーカを出してきて羽織《はお》り、ジッパーをあげると城島は「そんじゃな」と言ってまたトレイを慎重に持ち上げて席を探しに行ってしまった。保志の手の中で脇部分にうっすらと汗のにじんでいる肌ざわりの良いシャツが風に吹かれる。

食堂を出て次の授業の校舎へ歩いていくと、大階段の中ほどの一段に座って靴《くつ》ひもを結んでいる綾香を見つけた。大学の風景の中に自然に彼女は溶け込んでいたのに、城島には彼女の身体の縁《ふち》が浮かび上がっているように見えた。

綾香とはクラスコンパで自己紹介程度に一度話したきりだ。〝城島って、おしゃれだね〟と言ってくれた。毎週水曜の必修の、基礎経済学のクラスが同じだったが大教室で生徒は百人くらいいたから話しかけにくかった。自分のことを覚えているか分からない。買ったばかりの平べったい帽子をかぶり直してうつむき加減で歩いていったら、ちゃんと「城島?」と呼びかけてくれた。

綾香は健康的でしなやか、これまでも、そしてこれからもずっと好みであり続けるだろう女の子の典型だった。もう少し大人びていてもいいのにと綾香の短い前髪を見て思う。でも彼女の何気ない笑顔一つで理想の輪郭《りんかく》は融《と》かされて綾香自体が理想になる。

「何かサークルには入った? 入りたいってこの前言ってたでしょ」

「まだ、何も」

「私はねえ、前言ってた通り旅系のサークルに入ったよ。新歓コンパにも行って」

その時綾香の耳の上にがんと高速のボールがぶつかってきて、さらさらの髪が一瞬くらげのように上へ浮かび上がり、開いた口から歯のかみ合わせがずれたのが見えた。綾香はそのまま横向きに倒れた。男子大学生がロータリーでキャッチボールしていた球が飛んできたのだ。

まだ城島が状況をつかめないうちに、綾香は顔を上げてボールの方向を睨《にら》んだ。完全に怒っていた。

「痛いじゃない！」

転がっていたボールを摑《つか》み、キャッチボールをしていた紫色のタンクトップを着たのとキャップを被《かぶ》ったのとどちらも背の高い男二人に近づいていく。

「すみません」

二人は首を突き出すようにして謝《あやま》る。

「冷やすから、これ濡らしてきて！」

と弁当を包んでいたバンダナを剝《は》いで片方の男に押し付ける。二人の男は慌てて水道のある校舎へ走っていった。

息を切らしてすぐに戻ってきた二人組は、濡れたバンダナと近所のコンビニで買ってきたロック氷のパックを綾香に渡し、長い身体を何度も折り曲げて謝った。

二人が去ると綾香は、顔を押さえてしゃがんだ。城島は綾香に近寄り、大丈夫かと聞いた。だいじょうぶと綾香は答えた。

「日陰で休めば？」

「いいの。私は太陽の下にいた方が元気が出るから」

そう言い綾香は日の照りつける大階段のコンクリートの手すりに腕をもたせ

かけて下に広がる景色を見つめる。風は吹かないし時間が止まってしまいそうな暑さだ。

大階段に続く広い中庭には、もちろん日光は降り注いでいて、違う季節なら学生が座っているはずの白いテーブルとチェアのセット四つには誰も座っていない。きっと座るとやけどしそうなほど熱せられているのだろう。昼休みを過ごす学生たちは校舎の下など影のあるところに集まっていて、それでも暑そうだ。みんな地べたに座り放題でタオルを首からかけた男子学生の半パンからはすね毛が繁る足が投げ出されている。たばこを吸う学生のみが日なたに設置された一本足の灰皿の側《そば》で、しかめ面《つら》で煙を吐き出していた。教室移動で行き交う女子学生もバインダで日よけしながらミニスカートで歩いていく。見下ろすと、戦争反対の看板の前でビラを配っている学生や校舎のガラス張りを鏡に見立てて、音楽を鳴らしながらストリートダンスの練習をしている学生もいる。

城島も綾香も手すりに腕を乗せていた。城島は七分袖のパーカを着ているから暑くてしょうがない、汗が流れ落ちて薄灰色のコンクリートに腕の形の黒い染《し》みができ始めた。

「悪いね、驚かせちゃって。城島はここにいる必要ないから、もう校舎の中にでも入ったら？　たまたま通りかかっただけなのに災難だったね」

「ああ」

立ち去る気は無かったが考えるふりをする。やがて動かない城島を眺《なが》めるのをやめて、綾香も前へ向き直った。綾香の言葉はブーメランのように変な方向から戻ってきて城島を傷つけた。すごく自然に側にいたつもりだったけど。

ペイズリ柄の赤いバンダナに包んでいた氷が解けて水が幾筋も綾香の顔を伝い落ちている。

「傷どうなったんだ」

「見る？　どう、ふくれてる？」

たんこぶは太陽を集めて元気の象徴のように膨《ふく》らんでいて一瞬見とれた。あれだけ怒るのに十分な、いや、足りないくらいの怪我《けが》だった。

急に男二人組に腹が立つ。

「こんな狭いところで、キャッチボールなんかやるから。もう大学生のくせに」

と言うと、綾香は笑った。

「はは。ありがとう」

綾香の笑った横顔はえくぼが出来て可愛く、誰にも似ていない、完全なオリジナルだ。

「もうすぐ授業が始まる」向かいの校舎の壁時計を見て綾香が呟《つぶや》く。

「別に俺は出なくていいんだ、出席取らないから、次の授業」

「私は出るんだ」

弁当箱を鞄に入れて、氷水の入ったパックを片手に持ち綾香は立ち上がる。

もう少しこの時間が続くと思っていた城島はなんとなくがっかりした。

「基礎経済一緒だったよね？　また授業の時に話そう」

綾香はそう言って校舎へ行きかけたが立ち止まり、パックからつやつや光る氷を一つ取り出すと、城島が肘《ひじ》をもたせかけているコンクリートにコトリと置いた。


何か屈託のない贈り物は無いだろうか。城島は黒い傘をさして雨の降る灰色の街、ファッション雑誌にもよく紹介されている、趣味の良い品の並ぶセレクトショップの連なる通りを歩いた。街の真ん中の細い車道を走る車が雨水をはね飛ばし、歩道の石畳《いしだたみ》や城島の革靴を濡らした。

雨のせいで買い物客は少なかったけれど、通りすがる女の子の持つ紙袋の店名ロゴを盗み見て、同じ店に入ってみた。しかし完全に女物の店で、自分が浮いている気がしてすぐ出てきてしまった。とどまりたい、あの棚の小物を見たいと思っても、なんとなく出口まで押し戻されてしまうのだ。

できればアクセサリーをあげたいが男物だとサイズが違うから綾香が褒めて何気なくあげるという展開は期待できない。服も無理、香水もあまり飾り気のない綾香は嫌いだろうし上質の革の小物にも興味を示さないだろう。ガラスケースに陳列《ちんれつ》されたキーケースやライターを眺めながら、綾香がなめし革のキーケースを鼻先に持っていって「くさい」と鼻に皺《しわ》を寄せるのを想像して苦笑した。

「一万五千円以内か……」余裕のある予算が初め心を楽しませていたが、そのうち重荷になってきた。なぜか綾香には値段の張らない物をあげたい。綾香のくれた氷、あのあと手の平の中で太陽を照り返しながら解けていったあの氷ぐらい自然な物をあげたい。いや、あげたいなんて高びしゃな気持ちではなく、短い命の物を手渡す、その作業で一瞬でいいから彼女とつながれたら。

丁寧《ていねい》に一軒一軒流行のものが置いてそうなショップを見て回ったが該当《がいとう》する物はなく、派手な通りは過ぎてしまい、気がつけばさびれたアジアン雑貨屋に来ていた。店に入る前からお香《こう》の匂いがせまってきて、薄暗い店内でインドっぽい裏声の女の人の歌う音楽が流れていて、タイダイ染の布やアフリカっぽい鉄でできた象や老人の置物が売られている。城島は小皿の上の、ビーズでできた一つ百円の指輪や、小さな鈴のついた錆《さび》ついた銅でできたアンクレットをつまんでみたりしたが、どれもしっくりこない。そのうちきついお香の香りと物の多すぎる店内に酔ってきて、店を出ようとしたが、ポストカードの回転棚に目が留まった。

棚を回すと軋《きし》んでぎいという音がする。ポストカードの写真は大きな眼でじっと見つめてくる色の浅黒い子どもや、教科書で見たことのある白亜の宮殿のような建物、巨大な川で行水《ぎょうずい》する様子などだ。一枚綺麗《きれい》な写真があった。晴れた砂漠の上でサリーを着た女の人が、虹色《にじいろ》に染められた大きな旗を持っている写真だ。青空と砂漠の真ん中ではためいているこの布は、もしかしたら旗じゃないのか、何か大きな織物を干しているのかも……と写真に顔を近づけて見ていたときに、はっと思いついた。

一番屈託《くったく》のない贈り物、それはお土産《みやげ》だ。このポストカードを買おう。

奥のレジ前で小さな扇風機《せんぷうき》を回して涼《すず》んでいた店員の前まで行って、このポストカードはどこの国ですかと聞いた。

「インドです。そこの絵葉書、全部インド。私が好きでねえ」

ちぢれた黒髪を結《ゆ》い上《あ》げた店員は腕に細い金めっきのブレスを何本も巻いて

いて、それが日に焼けた肌に映えていた。城島は虹色の旗のポストカードとあと何枚か、適当なものを選んで買った。ついでに本棚へ行ってインドの写真集を開くと、見るだけでドッと汗のわく暑く埃《ほこり》っぽい赤銅色《しゃくどういろ》の写真が続き、この国は好きになれそうにないと思う。インド豆知識という読み物のページも読んで少し勉強した。日本の約九倍の広大な国土で、国民の多くはヒンズー教徒、カースト制度がいまだ根強く結婚はほぼお見合いで決まる。気候は夏季（4～6月）、雨季（6～9月）、冬季（10～3月）に分かれている。写真集の最後の写真では、肌は黒いが髭《ひげ》は白いインドの老人がグリンピースの入った黄色いカレーを手で食べていた。

外国には一度も行ったことが無かった。友人たちは大学生になってからは休みごとにばんばん日本から出ていってしまうが、どの国にも興味がわかない。だって観光客はどうやったって現地の人間には勝てない、言葉もその国の知識も流行のファッションも。負け負けでお金だけ旅費や宿泊費や建物の見物料で減っていくのなんか口惜《くや》しくて楽しめない。

大教室に早めに着いた城島は、中心にある教壇に向かって、すり鉢状になだらかに下がっている座席の列に座る百人近い学生の姿に目を泳がせていた。いない。今日は基礎経済に来ないのかもしれない。大学の授業、そのなかでも出席を取らない大人数の授業を生徒たちはちょくちょくさぼるから、会える確率は少ない。

しかしドアから綾香が友達と一緒に入ってきて前の方の席に座るのを見つけた。鞄を肩からぶらさげて彼女に近づいていく。

「あ。この前はありがとう」

「どうも」

「この人同じクラスの城島くん」

こんにちはと綾香の友達が挨拶《あいさつ》をする。いきなりポストカードを出すのは突然のような気がしたが、いくら遅刻しがちな教授の授業とは言っても休み時間は十分しかない。どうしても渡したかったので外車の写真が転写された色とりどりの派手な鞄の中を探って包みを取り出した。

「これ……インド行ってきたから、そのお土産」

綾香にも友達にも四枚ずつ手渡す。綾香が喜びにかがやいた顔を上げた。

「インド!?　私、インド大好きなんだ。今までに三回行ったことがあるの」

意外な言葉に城島は内心驚いたが、表には見せず、

「そうなんだ。俺初めて行ったけど良い国だった」目を伏せた。

「でしょ!?　私は大学生の間に五回は行きたいと思っているの。高校を卒業してから春休み全部使って滞在したときは本当に楽しかったな、ぎゅうぎゅうの列車に乗ってカルカッタからボンベイまで移動したりした。ありがとう、この

絵葉書。インド産にしては上質の紙だね」

綾香は絵葉書の写真を指差して、これタージ・マハルだよねと言うので、

「そう。俺はここが好きだな」

「何が一番思い出に残ってる?」

「……カレーが黄色くて辛かった」

「町の道を普通に歩いてる牛は見た?」

「見た。臭いね奴ら」

「このピアスもインドで買ったんだ。宝物なの」

綾香は髪をかき上げて、紺色の丸い石がついたちゃちなピアスがついている耳を見せた。耳のラインの照りに目を奪われてどきどきする。

「それにしても授業のある今の時期にインド旅行ってパワフルだね。しかも夏休みがもうすぐだっていうのに」綾香の友達が机に頰《ほお》づえをついたまま、立っ

ている城島を見上げる。

「おれは土日月は授業が無くて、そうだな、五泊六日だけ行った、あとの授業はサボリ。まあ、息抜きしたくなる時ってあるだろ。夏休みまで待てないっていうかさ」

「全然焼けてないし」

「そう？　前よりちょっと黒くなったんだけどさ。でもインドちょうど雨が降っていたから。雨季ってやつ？」

「残念だったね。私が初めて行った時は、現地の人にいっぱい騙《だま》されてお金巻き上げられたりして、そのたびに大げんかした。でも真剣に話しているうちに、あっちもただの金づるとしか私を見てなかったのが、段々生身の人間を見る目つきになってくるの。あれも一つのコミュニケーションの形だと私は思うんだよね」

「現地の物売りとケンカなんて、危なくない?」綾香の友達が心配している。

「うーん、そうかもしれない。でも現地の人とのふれあいこそ旅の醍醐味《だいごみ》だから……ね、城島もなんか売りつけられそうになったことがあったんじゃないの」

「ああ。でも口論なんてできなかった、ナマステしかインドの言葉は知らないから」

「そんなの必要ないでしょ」

「まあ確かに身振り手振りで伝わるけれど」

「何言ってるの城島、物売りの人たちも私たち外国人には英語で話しかけるでしょ。よっぽど宿にこもりっきりだったんだね。どこに泊まっていたの?」

インドっぽい言葉を思い出せばいい。それに「ホテル」とつければいい、マハラジャとかカルカッタとか、しかし頭に雲がかかったようになり、

「……思い出せないな。カレーの美味しい宿だった」

「そう？　じゃ、なんのインドカレーが好き？　私マトンカレー」

「おれビーフカレー」綾香の表情が固まる。

「と言ってもルーが真っ黄色のやつ」城島はフォローを入れたが綾香の表情は変わらない。

「ねえ城島はインドでは神聖な牛を食べちゃったの？」綾香の友達の無邪気《むじゃき》な声に城島の身体が不自然に揺れた。

冗談《じょうだん》に決まってるでしょと綾香は笑い飛ばしたが、ふと真剣な顔になった。

「インドの空港、どこ使った？　日本からの直航便だと二つあるんだけど」

みるみる厳《きび》しい表情になっている。駐車違反とか取り締まる婦人警官のようだ、警帽がきっとよく似合う。

「……ニューデリー空港」

「よく思い出してみて。ちょっと違うでしょ」

「……ヨガ空港」

全員が押し黙った。綾香はしばらくうつむいていたが赤くなった顔で、と絵葉書を城島に突き返した。友達も自分がもらったのをそっと机の上に置く。

「これ、返す」

「っていうか、嘘をつく理由が分からないよね」

友達が綾香にささやくが、急に無表情になった城島と目が合うと怯《ひる》んで口をつぐんだ。綾香は怒りのぶつけどころを見つけられないまま頬を熱く紅潮させている。城島は無言で絵葉書を受け取った。

「あっ、城島、いたいた」

肩を叩かれて城島が顔を上げると、満面の笑みの保志がいた。

「お前がくれた、このシャツ！　俺にすげー似合うよ。ありがとうな。感謝感謝」

大きな明るい声に綾香たちも保志を見る。もう近くまで来ている真夏の暑さを予感させる黄色のシャツは、確かに脱色しすぎてばさっとした金茶の髪の保志によく似合っている。

「簡単に物に釣《つ》られちゃダメだよ保志」

真剣な顔で保志を見上げて綾香が言う。綾香、もういいんじゃないのと友達が止めるが聞かない。

「城島に騙されているのかもしれないよ」

「はあ？　この服がにせブランドだとか？　いいよ俺は気にしないから、本物だろうが嘘物だろうが自分が気に入ってりゃ。俺服って分かんねーから高いか安いか知らんけど、とりあえず今度焼肉でもおごるわ」

綾香は訳が分からないといった顔つきで城島の肩に腕を回している本当に嬉《うれ》しそうな保志を見上げる。

「どんな意図があるか分からない贈り物でも喜べる？」

「あんまり考えてなかった。とりあえず、くれるっていう気持ちがウレシイじゃん」

綾香は困惑して口をつぐむ。

保志は城島の肩をつかむと手を振る三芳の方へ引きずっていく。楽しそうな保志のなすがままに身をあずけ、城島は三芳のとなりに腰をおろした。まださっきのショックが視界を暗くしている。顔の目鼻立ちが重力に逆らえず下に落ちていきそうなので両手で顔面を覆《おお》った。

ここは大学だ、広いキャンパスで行き交う大勢の同年代の人間、決まった奴と毎日顔を合わせなければいけない高校とは違うから、うまく避ければ綾香や綾香の友達と会うことはもうなくなる。忘れればいい、大学生活はまだ始まったばかりなんだから。言い聞かせるが悲しみがあふれてきて息が浅くなる。宝物のピアス、見せてくれたのに。

「城島は自分の着ていた服が友達に似合って悔《くや》しくないの？」

横を見ると三芳が頬づえをついてこちらを見つめていた。

「私なら悔しい。まあ服にしても他の物にしても自分の物を友達にあげたことなんてないから、分からないけどね」

「悔しくはない。喜んでるなら、いい」

答えたが、正直なところ今はそんなことはどうでも良かった。三芳は新鮮なものを見つけたように、城島をじっと眺める。

「ねえ今度保志と私と一緒に、どこかへ遊びに行こうよ。色々もらったお礼も兼《か》ねて」

「だから焼肉屋に行くんだよ」保志が声を飛ばす。

「……インド」城島が呟く。

「インド!?　おいおい海外かよ」保志が顔をしかめる。「規模がでかいな、三芳はいいとしても、お前と旅行かぁ……楽しいかな?」

「好きだって、沢さんが。インド」

暗い顔の城島の視線の先には綾香がいて、三芳は城島と遠くの綾香を交互に見つめた。

「本気で好きなの?　綾香が?」

城島は答えずに絵葉書に目を落とす。虹色の旗はやはり綺麗で、こんなことに使わなければ、部屋のコルクボードにピンで留めて飾ったのに。

「決めた。じゃあ私と保志とあんたと綾香の四人で、夏休みにインドへ行こう。保志、宿探しとか飛行機の手配よろしくね」

「ええ俺、やだよ。めんどくさい」

「あんた旅慣れてるでしょ、できるよ。私、綾香に話を持ちかけてみる」

恋愛旅行番組が好きな三芳は急にイキイキして、席から立ち上がって綾香に近づいていく。

綾香は肩を叩いてきた三芳としばらく話していたが、身体をねじって、きっと睨んだ。遠いのに、まるですぐ側にいるみたいに近くで綾香と目が合う。まだ怒っている強い瞳の光、まぶしすぎて目を細めるがそらさずに、なんとか見つめ返す。熱い国へ一緒に行きたい。

教授が教室に入ってきて、三芳がサンダルの足で走りにくそうにして慌ててこちらに戻ってくる、指で小さな丸を作って見せながら。

城島は拗《す》ねたように唇《くちびる》をとがらせる。インドで綾香が問い詰めてくる予感がした。〝どうして嘘をつくの?〟と。思っていたよりも気が強いみたいだからな、あいつ。そこまで考えてから、頬づえをついた城島の顔が、身体が、ぶわりと火照《ほて》った。

授業が始まった。

解説　選ばれし者

高橋源一郎

ぼくは、この『インストール』という小説を都合、三度読んだ。一度目は、雑誌「文藝」に初めて載《の》った時に。二度目は、単行本になった直後に（それから、もう四年近くたってしまった！）。そして、三度目は、この解説を書くために。感想は、いつも変わらない。

単行本の一七ページから一八ページにかけての、こんな部分に、赤いボールペンで傍線《ぼうせん》が引いてある（ぼくは、どんな本でも、読みながら、どんどん傍線を引き、どんどん感想を書き込んでいく）。もちろん、傍線を引いたのは、二〇〇一年のこと。

まだお酒も飲めない、ついでにセックスも体験していない処女の一七歳の心に巣食う、この何者にもなれないという枯れた悟りは何だというのだろう。歌手になりたい訳じゃない作家になりたい訳じゃない、でも中学生の頃には確実に両手に握り締めることができていた私のあらゆる可能性の芽が、気づいたらごそっと減っていて、このまま小さくまとまった人生を送るのかもしれないと思うとどうにも苦しい。もう一七歳だと焦る気持ちと、まだ一七歳だと安心する気持ちが交差する。この苦しさを乗り越えるには。分かっている、必要なのは、もちろんこんなふうにゴミ捨て場へ逃げ出すのではなく、前進。人と同じ生活をしていたらキラリ光る感性がなくなっていくかもなんて、そんなの劣等生用の都合の良い迷信よ、学校に戻ってまたベル席守ることから始めなさい！　光一口調で自分を叱ってみたが、しかし、やっぱり私は動けなかった。自分にほとほと呆れ、仰向けになってさびれたコンクリートの四角の切れはしからのぞいている暮れかけの空を見上げる。
光一の言葉、時々母にも言われる言葉を思い出した。
あんたにゃ人生の目標がないのよ。

そして、ぼくの感想は一言。デカデカと、
「完璧《かんぺき》！」

＊

ぼくは、小説は書くのも好きだが（時々、イヤになるけれど）、読むのはもっと好きだ。中でも、新しい作家の、新しい作品を読むのが、いちばん好きだ。とはいえ、手垢《てあか》のついたものは読む必要を感じない。誰かの真似《まね》っこも（少々はいいけど）、最初の数ページを読んだだけで、最後までわかってしまうような（たいていの小説はこれ）ものも、読む気にはならない。だからといって、新しさを売りものにするやつを読んでも（ほとんどは当人が思うほど、新しくないけど）、楽しくはない。つまり、実際のところ、新しい作家の作品は読みたいけど、読んでみると、そんなに大したことはなくてガッカリ、の繰り返しだ。

けれど、なにごとにも例外はある。

『インストール』は、「一七歳のデビュー作」として完璧なのではない（小説は、そんなに甘いものではないし、誰も年齢を加味して読んではくれない）。ただ、完璧なのである。

最初に引用した文章を読んでもらいたい。句読点のうちかたも、各文章の語尾（の変化）も、もちろん中身も。そのどれも、直すところがない。試しに、音読してみる。ほれぼれする。というか、ぞっとする。違うな。愕然《がくぜん》とする。いや、もっとうまい言い方はないものか。

ここには、日本語による日本文学の（引用や真似ではなく）、最良の「記憶」とでもいったものが反響している、というのがいちばんぴったりくる。それは（つまり、その「記憶」とは）一葉や太宰のそれかもしれないし、新しいところでは、山田詠美や吉本ばななのそれなのかもしれない。
もちろん、「完璧な文章」は、ここだけではない。あちらにも、こちらにも、ありすぎて、困る（ことはない）。読んでいると、まず、ぼくは読者として、ただ嬉しくなり、それから、ひとりの小説家として、もっと嬉しくなる。例えば、六八ページ。

客が来たのだ。私は悠然として背筋を伸ばし、気分は博打女郎で、かかってきなさい、楽しませてあげるわ。

ここのところ（やはり、最初に読んだ時）、「快感！」と書き込んである（気分は、『セーラー服と機関銃』の薬師丸ひろ子）。
この『インストール』は、発表当時、「一七歳の女子高生」が、「インターネット」という最新アイテムをテーマにして、「時代の最先端」を描いた小説として、話題になったと思うのだが、実は、その受け取り方は間違っている。

主人公は一七歳の女子高生だが、誰もが「売り」にしそうな（時代が要求しているらしい）「女子高生の生活」は、あまり書かれていない。主人公は、インターネットの「エロチャット」を舞台にして、もう一つの人格を作りあげるのだが、「いま」を象徴している「インターネット」や「エロチャット」も、実のところ、この小説では、単なる背景に過ぎない。

『インストール』で、もっとも重要なのは、言葉が（日本語が）、ほとんど美しい音楽のように使われている（と感じられる）ことだ。それは、つまり、この小説が「完璧な日本語」で書かれているということだ。

しかし、一七歳の、当時、高校生の作者に、そんな「完璧な日本語」の作品を書くことが可能だろうか。

それは可能だ。それどころか、「一七歳であるが故《ゆえ》」に完璧なのだ、とぼくは思うのである。

およそ一四歳から一七歳にかけて、青春前期とも呼ぶべき、この数年間を、ぼくは特別な時間だと考えている。そして、そのことは、ぼくにとって、とても大きな問題だったのだ。

＊

ぼくが、「書く」ようになったのは、身近に、詩や批評を書く友人たちがいたからだ。およそ、一四歳から一七歳の頃にかけて、ぼくは、そのような友人たちと「書く」真似事を続けていた。その中に、「完璧」としか言いようのないものを「書く」友人がいた。

彼らが「書く」ものは、ぼくが「書く」ものとは根本的に違っていた。俗っぽい言い方をするなら、彼らの言葉は光り輝いていて、「ほんもの」であるのに、ぼくの「書く」言葉は、贋金《がんきん》に過ぎない。ぼくはそう考え、それでも、つまり、たとえそれが「贋金」であっても、ぼくは書き続けたいと願ったのだった。

やがて、彼らは「書く」ことを止めた。ぼくは、懲《こ》りずに書き続けているが、自分の言葉が「贋金」ではないかという思いは、いまでも、どこかに残っている。

彼らの書いたものは、ぼくの手元にあり、たまに読み返すのだけれど、十代の青年（少年？）の思い過ごしではなく、やはり「完璧」な（しかも、当時感じていたより遥《はる》かに初々《ういうい》しい）ものだ、といまでも思う。つまり、一五歳や一六歳や一七歳の青年（少年）の書いたものとして「完璧」、というのではなく、その時代の全表現の中においても「完璧」だった、といまもぼくは感じる。

昔と異なるのは、そのことを「異常」だとか、「天才」はいるものだ、と諦めるのではなく、冷静に受けとめることができるようになったことだ。

おそらく、どの時代にも、言葉（や音や色彩や形）に対して、異常に敏感で、自分の周りに存在する、それらの言葉（や音や色彩や形）を、「白紙」のように吸収し、そして、いったん吸収した言葉（や音や色彩や形）を、自分という

「白紙」の周辺に、奇蹟《きせき》のように結晶化することのできる人間がいるのだろう。

それを「才能」と呼ぶのなら、その「才能」は、我々が、通常、「小説を書く才能がある」とか「音楽家としての優れた才能」と呼ぶ時の「才能」とは異なったものだ、とぼくは考える。

そして、そのような「天才」たちを、ぼくは、ぼくの友人だけではなく、言語芸術（だけではないが）の歴史において、何人も知っているのである。

ぼくは、綿矢りさを、そのような「天才」たちの間に置いてみる。デビュー作『インストール』の「完璧さ」（と初々しさ）は、彼女が、その「天才」たちの仲間であることを証明しているだろう。だが、それだけではないのではないか、とぼくの（小説家としての）本能は、告げるのである。

それが何なのか、正直なところ、いまのぼくにはよくわからない。

綿矢りさは、ただ「天才」であるのではなく（どんな「天才」でも、ぼくはおそれない)、何かの「始まり」を告げ知らせるために現れたのではないか、とぼくは感じる。それが、日本近代文学の終わりと関係があるのか、この『インストール』が二十一世紀の最初の年に出現したのは、何かの徴《しるし》なのか、はたまた、これは近代文学の問題だけに留まらず、日本の近代の終わりそのものと深く関係があることなのか、ぼくにはわからない。

だが、ぼくにもわかることが一つだけある。

綿矢りさは、この「時代」と「日本語」に選ばれたのだ。間違えてはならない。彼女が選んだのではない。だとするなら、彼女は、これからも書き続けなければならないだろう。だってね、そんな作家、他に、いないんだから。

本書は二〇〇一年一一月、単行本として小社より刊行されました。
初出　「インストール」……『文藝』二〇〇一年冬号
「You can keep it.」……書き下ろし

インストール

二〇〇五年一〇月二〇日　初版発行
二〇二五年 九 月三〇日　43刷発行

著　者　綿矢《わたや》りさ
発行者　小野寺優
発行所　株式会社河出書房新社
〒一六二-八五四四
東京都新宿区東五軒町二-一三
電話〇三-三四〇四-八六一一（編集）
〇三-三四〇四-一二〇一（営業）
https://www.kawade.co.jp/

ロゴ・表紙デザイン　粟津潔
本文フォーマット　佐々木暁
印刷・製本　大日本印刷株式会社

Printed in Japan　ISBN978-4-309-40758-6

青春デンデケデケデケ

芦原すなお　40352-6

1965年の夏休み、ラジオから流れるベンチャーズのギターがぼくを変えた。“やーっぱりロックでなけらいかん”——誰もが通過する青春の輝かしい季節を描いた痛快小説。文藝賞・直木賞受賞。映画化原作。

A感覚とV感覚

稲垣足穂　40568-1

永遠なる“少年”へのはかないノスタルジーと、はるかな天上へとかよう晴朗なA感覚——タルホ美学の原基をなす表題作のほか、みずみずしい初期短篇から後期の典雅な論考まで、全14篇を収録した代表作。

オアシス

生田紗代　40812-5

私が〈出会った〉青い自転車が盗まれた。呆然自失の中、私の自転車を探す日々が始まる。家事放棄の母と、その母にパラサイトされている姉、そして私。女三人、奇妙な家族の行方は？　文藝賞受賞作。

助手席にて、グルグル・ダンスを踊って

伊藤たかみ　40818-7

高三の夏、赤いコンバーチブルにのって青春をグルグル回りつづけたぼくと彼女のミオ。はじけるようなみずみずしさと懐かしく甘酸っぱい感傷が交差する、芥川賞作家の鮮烈なデビュー作。第32回文藝賞受賞。

ロスト・ストーリー

伊藤たかみ　40824-8

ある朝彼女は出て行った。自らの「失くした物語」をとり戻すために——。僕と兄アニーとアニーのかつての恋人ナオミの３人暮らしに変化が訪れた。過去と現実が交錯する、芥川賞作家による初長篇にして代表作。

狐狸庵交遊録

遠藤周作　40811-8

遠藤周作没後十年。類い希なる好奇心とユーモアで人々を笑いの渦に巻き込んだ狐狸庵先生。文壇関係のみならず、多彩な友人達とのエピソードを記した抱腹絶倒のエッセイ。阿川弘之氏との未発表往復書簡収録。

肌ざわり

尾辻克彦　40744-9

これは私小説？　それとも哲学？　父子家庭の日常を軽やかに描きながら、その視線はいつしか世界の裏側へ回りこむ……。赤瀬川原平が尾辻克彦の名で執筆した処女短篇集、ついに復活！　解説・坪内祐三

父が消えた

尾辻克彦　40745-6

父の遺骨を納める墓地を見に出かけた「私」の目に映るもの、頭をよぎることどもの間に、父の思い出が滑り込む……。芥川賞受賞作「父が消えた」など、初期作品5篇を収録した傑作短篇集。解説・夏石鈴子

東京ゲスト・ハウス

角田光代　40760-9

半年のアジア放浪から帰った僕は、あてもなく、旅で知り合った女性の一軒家を間借りする。そこはまるで旅の続きのゲスト・ハウスのような場所だった。旅の終りを探す、直木賞作家の青春小説。解説＝中上紀

ぼくとネモ号と彼女たち

角田光代　40780-7

中古で買った愛車「ネモ号」に乗って、当てもなく道を走るぼく。とりあえず、遠くへ行きたい。行き先は、乗せた女しだい——直木賞作家による青春ロード・ノベル。解説＝豊田道倫

ホームドラマ

新堂冬樹　40815-6

一見、幸せな家庭に潜む静かな狂気……。あの新堂冬樹が描き出す“最悪のホームドラマ”がついに文庫化。文庫版特別書き下ろし短篇「賢母」を収録！　解説＝永江朗

母の発達

笙野頼子　40577-3

娘の怨念によって殺されたお母さんは〈新種の母〉として、解体しながら、発達した。五十音の母として。空前絶後の着想で抱腹絶倒の世界をつくる、芥川賞作家の話題の超力作長篇小説。

きょうのできごと

柴崎友香　40711-1

この小さな惑星で、あなたはきょう、誰を想っていますか……。京都の夜に集まった男女が、ある一日に経験した、いくつかの小さな物語。行定勲監督による映画原作、ベストセラー!!

青空感傷ツアー

柴崎友香　40766-1

超美人でゴーマンな女ともだちと、彼女に言いなりな私。大阪→トルコ→四国→石垣島。抱腹絶倒、やがてせつない女二人の感傷旅行の行方は？　映画「きょうのできごと」原作者の話題作。解説＝長嶋有

次の町まで、きみはどんな歌をうたうの？

柴崎友香　40786-9

幻の初期作品が待望の文庫化！　大阪発東京行。友人カップルのドライブに男二人がむりやり便乗。四人それぞれの思いを乗せた旅の行方は？　切なく、歯痒い、心に残るロード・ラブ・ストーリー。解説＝綿矢りさ

ユルスナールの靴

須賀敦子　40552-0

デビュー後十年を待たずに惜しまれつつ逝った筆者の最後の著作。20世紀フランスを代表する文学者ユルスナールの軌跡に、自らを重ねて、文学と人生の光と影を鮮やかに綴る長編作品。

ラジオ　デイズ

鈴木清剛　40617-6

追い払うことも仲良くすることもできない男が、オレの六畳で暮らしている……。二人の男の短い共同生活を奇跡的なまでのみずみずしさで描き、たちまちベストセラーとなった第34回文藝賞受賞作！

サラダ記念日

俵万智　40249-9

〈「この味がいいね」と君が言ったから七月六日はサラダ記念日〉——日常の何げない一瞬を、新鮮な感覚と溢れる感性で綴った短歌集。生きることがうたうこと。従来の短歌のイメージを見事に一変させた傑作！

香具師の旅

田中小実昌　40716-6

東大に入りながら、駐留軍やストリップ小屋で仕事をしたり、テキヤになって北陸を旅するコミさん。その独特の語り口で世の中からはぐれてしまう人びとの生き方を描き出す傑作短篇集。直木賞受賞作収録。

ポロポロ

田中小実昌　40717-3

父の開いていた祈禱会では、みんなポロポロという言葉にならない祈りをさけんだり、つぶやいたりしていた――表題作「ポロポロ」の他、中国戦線での過酷な体験を描いた連作。谷崎潤一郎賞受賞作。

さよならを言うまえに　人生のことば292章

太宰治　40224-6

生れて、すみません――39歳で、みずから世を去った太宰治が、悔恨と希望、恍惚と不安の淵から、人生の断面を切りとった、煌く言葉のかずかず。テーマ別に編成された、太宰文学のエッセンス！

新・書を捨てよ、町へ出よう

寺山修司　40803-3

書物狂いの青年期に歌人として鮮烈なデビューを飾り、古今東西の書物に精通した著者が言葉と思想の再生のためにあえて時代と自己に向けて放った普遍的なアジテーション。エッセイスト・寺山修司の代表作。

枯木灘

中上健次　40002-0

自然に生きる人間の原型と向き合い、現実と物語のダイナミズムを現代に甦えらせた著者初の長篇小説。毎日出版文化賞と芸術選奨文部大臣新人賞に輝いた新文学世代の記念碑的な大作！

千年の愉楽

中上健次　40350-2

熊野の山々のせまる紀州南端の地を舞台に、高貴で不吉な血の宿命を分かつ若者たち――色事師、荒くれ、夜盗、ヤクザら――の生と死を、神話的世界を通し過去・現在・未来に自在に映しだす新しい物語文学！

無知の涙

永山則夫　40275-8

４人を射殺した少年は獄中で、本を貪り読み、字を学びながら、生れて初めてノートを綴った——自らを徹底的に問いつめつつ、世界と自己へ目を開いていくかつてない魂の軌跡として。従来の版に未収録分をすべて収録。

マリ&フィフィの虐殺ソングブック

中原昌也　40618-3

「これを読んだらもう死んでもいい」（清水アリカ）——刊行後、若い世代の圧倒的支持と旧世代の困惑に、世論を二分した、超前衛—アヴァンギャルド—バッド・ドリーム文学の誕生を告げる、話題の作品集。

子猫が読む乱暴者日記

中原昌也　40783-8

衝撃のデビュー作『マリ＆フィフィの虐殺ソングブック』と三島賞受賞作『あらゆる場所に花束が……』を繋ぐ、作家・中原昌也の本格的誕生と飛躍を記す決定的な作品集。無垢なる絶望が笑いと感動へ誘う！

リレキショ

中村航　40759-3

“姉さん”に拾われて“半沢良”になった僕。ある日届いた一通の招待状をきっかけに、いつもと少しだけ違う世界がひっそりと動き出す。第39回文藝賞受賞作。解説＝GOING UNDER GROUND 河野丈洋

夏休み

中村航　40801-9

吉田くんの家出がきっかけで訪れた二組のカップルの危機。僕らのひと夏の旅が辿り着いた場所は——キュートで爽やか、じんわり心にしみる物語。『100回泣くこと』の著者による超人気作がいよいよ文庫に！

黒冷水

羽田圭介　40765-4

兄の部屋を偏執的にアサる弟と、執拗に監視・報復する兄。出口を失い暴走する憎悪の「黒冷水」。兄弟間の果てしない確執に終わりはあるのか？史上最年少17歳・第40回文藝賞受賞作！　解説＝斎藤美奈子

にごりえ　現代語訳・樋口一葉

伊藤比呂美／島田雅彦／多和田葉子／角田光代〔現代語訳〕 40732-6

深くて広い一葉の魅力にはいりこむためにはここから。「にごりえ・この子・裏紫」＝伊藤比呂美、「大つごもり・われから」＝島田雅彦、「ゆく雲」＝多和田葉子　「うつせみ」＝角田光代。

ブエノスアイレス午前零時

藤沢周 40593-3

新潟、山奥の温泉旅館に、タンゴが鳴りひびく時、ブエノスアイレスの雪が降りそそぐ。過去を失いつつある老嬢と都会に挫折した青年の孤独なダンスに、人生のすべてを凝縮させた感動の芥川賞受賞作。

さだめ

藤沢周 40779-1

ＡＶのスカウトマン・寺崎が出会った女性，佑子。正気と狂気の狭間で揺れ動く彼女に次第に惹かれていく寺崎を待ち受ける「さだめ」とは…。芥川賞作家が描いた切なくも一途な恋愛小説の傑作。解説・行定勲

アウトブリード

保坂和志 40693-0

小説とは何か？　生と死は何か？　世界とは何か？　論理ではなく、直観で切りひらく清新な思考の軌跡。真摯な問いかけによって、若い表現者の圧倒的な支持を集めた、読者に勇気を与えるエッセイ集。

最後の吐息

星野智幸 40767-8

蜜の雨が降っている、雨は蜜の涙を流してる――ある作家が死んだことを新聞で知った真楠は恋人にあてて手紙を書く。鮮烈な色・熱・香が奏でる恍惚と陶酔の世界。第34回文藝賞受賞作。解説＝堀江敏幸

泥の花　「今，ここ」を生きる

水上勉 40742-5

晩年の著者が、老いと病いに苦しみながら、困難な「今」を生きるすべての人々に贈る渾身の人生論。挫折も絶望も病いも老いも、新たな生の活路に踏み出すための入口だと説く、自立の思想の精髄。

英霊の聲

三島由紀夫 40771-5

繁栄の底に隠された日本人の精神の腐敗を二・二六事件の青年将校と特攻隊の兵士の霊を通して浮き彫りにした表題作と、青年将校夫妻の自決を題材とした「憂国」、傑作戯曲「十日の菊」を収めたオリジナル版。

サド侯爵夫人／朱雀家の滅亡

三島由紀夫 40772-2

“サド侯爵は私だ！”——獄中の夫サドを20年待ち続けたルネ夫人の愛の思念とサドをめぐる６人の女の苛烈な対立から、不在の侯爵の人間像を明確に描き出し、戦後戯曲の最大傑作と称される代表作を収録。

アブサン物語

村松友視 40547-6

我が人生の伴侶、愛猫アブサンに捧ぐ！　21歳の大往生をとげたアブサンと著者とのペットを超えた交わりを、出逢いから最期を通し、ユーモアと哀感をこめて描く感動のエッセイ。ベストセラー待望の文庫化。

ベッドタイムアイズ

山田詠美 40197-3

スプーンは私をかわいがるのがとてもうまい。ただし、それは私の体を、であって、心では決して、ない。——痛切な抒情と鮮烈な文体を駆使して、選考委員各氏の激賞をうけた文藝賞受賞のベストセラー。

人のセックスを笑うな

山崎ナオコーラ 40814-9

19歳のオレと39歳のユリ。恋とも愛ともつかぬいとしさが、オレを駆り立てた——「思わず嫉妬したくなる程の才能」と選考委員に絶賛された、せつなさ100％の恋愛小説。第41回文藝賞受賞作。

インストール

綿矢りさ 40758-6

女子高生と小学生が風俗チャットで一儲け。押入れのコンピューターから覗いたオトナの世界とは?!　史上最年少芥川賞受賞作家のデビュー作／第38回文藝賞受賞作。書き下ろし短篇併録。解説＝高橋源一郎

著訳者名の後の数字はISBNコードです。頭に「978-4-309」を付け、お近くの書店にてご注文下さい。